Elettra Ercolino   T. Anna Pellegrino

Amici D'ITALIA

Corso di lingua italiana

2

LIBRO DELLO STUDENTE

Date of issue	Student name	Form
	▓▓▓▓▓▓▓▓▓▓	QS

Elettra Ercolino, T. Anna Pellegrino
Amici d'Italia
Corso di italiano – Livello 2

Coordinamento editoriale: Paola Accattoli
Redazione: Paola Accattoli, Gigliola Capodaglio
Direttore artistico: Marco Mercatali
Progetto grafico: Sergio Elisei
Impaginazione: Thèsis Contents S.r.l. – Firenze-Milano
Ricerca iconografica: Giorgia D'Angelo
Direttore di produzione: Francesco Capitano
Concezione grafica della copertina: Paola Lorenzetti
Foto di copertina: Getty Images

© ELI s.r.l. 2013
Casella Postale 6
62019 Recanati
Italia
Telefono: +39 071 750701
Fax: +39 071 977851
info@elionline.com
www.elionline.com

Crediti
Illustrazioni: Susanna Spelta / Marcello Carriero /
Pietro Di Chiara / Luca Poli
Fotografie: Shutterstock, archivio ELI;
Getty Images: pp. 25, 49, 66 (foto 5), 75 (in alto a sinistra),
103 (Negramaro), 106 (Zucchero), 110 (Emma);
Marka: pp. 24, 36, 47, 48 (in alto a sinistra);
Olycom: pp. 103 (Jovanotti), p. 113 (Caparezza).
Si ringraziano Maddalena Bolognese e Ivana Viappiani per
la collaborazione nel lavoro di revisione e per i preziosi
suggerimenti dati.

I siti Web presenti in questo volume sono segnalati ad uso esclusivamente didattico, completamente esterni alla casa editrice ELI e assolutamente indipendenti da essa. La casa editrice ELI non può esaminare tutte le pagine, i contenuti e i servizi presenti all'interno dei siti Web segnalati, né tenere sotto controllo gli aggiornamenti e i mutamenti che si verificano nel corso del tempo di tali siti. Lo stesso dicasi per i video, le canzoni, i film e tutti gli altri materiali autentici complementari, di cui la casa editrice ELI ha accertato l'adeguatezza esclusivamente riguardo alle selezioni proposte e non all'opera nella sua interezza.

L'editore è a disposizione degli aventi diritto tutelati dalla legge per eventuali e comunque non volute omissioni o imprecisioni nell'indicazione delle fonti bibliografiche o fotografiche. L'editore inserirà le eventuali correzioni nelle prossime edizioni dei volumi.

Tutti i diritti riservati. Le fotocopie non autorizzate sono illegali. È vietata la riproduzione totale o parziale così come la sua trasmissione sotto qualsiasi forma o con qualunque mezzo senza previa autorizzazione scritta da parte dell'editore.

Seconda ristampa aprile 2021

Stampa: Tecnostampa - Pigini Group Printing Division
        Loreto - Trevi   13.83.134.2

ISBN 978-88-536-1515-2

La presente pubblicazione è stata realizzata in collaborazione con un gruppo di studio e di sperimentazione appartenente a:

CORSI DI LINGUA E CULTURA ITALIANA

Visita il sito del Campus l'Infinito e scopri i vantaggi per te!
www.scuoladantealighieri.org

Bentornati amici!

Eccoci di nuovo insieme, pronti per il secondo anno di studio della lingua e della cultura italiane! Ricordate questa pagina del volume 1 sulle curiosità della lingua italiana nel mondo? Secondo voi quali fra questi possono essere buoni motivi per studiare l'italiano?

A ☐ Nel mondo, ogni anno, mezzo milione di studenti frequenta corsi di italiano.

B ☐ La lingua italiana è parlata in 11 nazioni nel mondo.

C ☐ Nel mondo, dopo il cinese e lo spagnolo, l'italiano è la 'lingua madre non ufficiale' più diffusa.

D ☐ L'italiano è la lingua della cultura, della musica e dell'arte: infatti, l'Italia è il Paese con il maggior numero di siti riconosciuti dall'UNESCO.

E ☐ L'italiano è la lingua del *Made in Italy*: molte aziende italiane sono conosciute in tutto il mondo non solo per il cibo e la moda, ma anche per le automobili, i computer e tante altre cose.

Si riparte!

GUIDA VISUALE

Ecco qualche informazione per usare al meglio questo libro.

➤ Il dialogo d'apertura

Ogni Unità inizia con un dialogo.
Ascolta, leggi, fai le attività
di comprensione e, infine, esercitati
nella rubrica *Adesso tocca a te!*

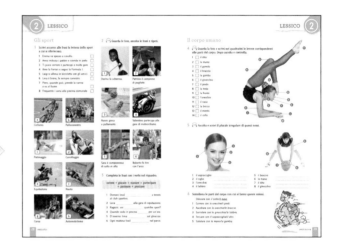

Lessico ➤

Dopo il dialogo d'apertura, amplia e consolida
la tua conoscenza delle parole con tanti esercizi
che ti preparano a comunicare!

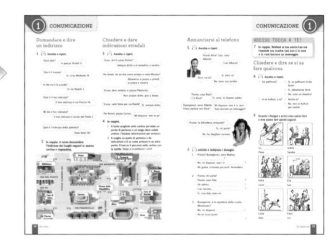

Comunicazione ➤

In queste pagine trovi le basi per comunicare
con le altre persone nella vita quotidiana.
Sono pagine ricche di esercizi che puoi fare
da solo o con i tuoi compagni!

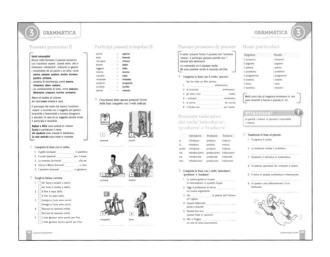

➤ Grammatica

Questa sezione ti permette di imparare facilmente
come funziona la lingua italiana, grazie a esempi,
riflessioni e tante attività diverse. È molto utile
anche per consolidare le tue conoscenze lessicali
e comunicative.

Verso la certificazione ⇨

Un modo semplice e divertente per sviluppare le tue abilità di lettura, scrittura, ascolto ed espressione. Con le attività di queste pagine, così diverse e mirate, puoi esercitarti nella preparazione agli esami CELI, CILS o Plida degli enti certificatori CLIQ.

⇦ A spasso in Italia

E finalmente sei pronto per una bella passeggiata italiana! In queste pagine puoi conoscere meglio le città, la moda, il cibo, le abitudini e tante altre cose interessanti! E non dimenticare il **video**!

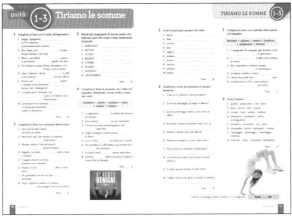

⇦ Tiriamo le somme

Ogni tre Unità puoi controllare e valutare con questi esercizi quanto hai imparato. Una bella sfida che ti può dare grande soddisfazione!

E in più...

Il sogno di Arlecchino: Una divertente commedia per chiudere in allegria l'anno scolastico e ritrovare le maschere tradizionali italiane.

Le regioni italiane: Prosegue il tuo viaggio attraverso le regioni, dalla Liguria al Molise, per conoscere più da vicino il territorio, la sua bellezza, il cibo e le tradizioni locali.

La storia d'Italia: In questo volume conoscerai gli eventi storici e le correnti artistiche italiane che vanno dal XV secolo all'inizio del XIX secolo. ⇨

CD audio per la classe

Questo simbolo segnala le attività di ascolto che il tuo professore può proporre in classe. Il primo numero indica il CD e il secondo il numero della traccia.

TAVOLA DEI CONTENUTI

Lessico	Certificazione	Civiltà

Revisione.

I luoghi della città.
I numeri ordinali.

- CO: comprendere una conversazione e segnare un itinerario.
- PO: descrivere il percorso fino alla propria scuola.
- PS: scrivere un percorso.
- CS: comprendere un'email che descrive un luogo.

- Scendiamo in piazza.

Gli sport.
Il corpo umano.

- CS: comprendere le informazioni di un volantino su corsi sportivi.
- PO: parlare di com'è organizzato lo sport nella propria scuola.
- CO: comprendere una conversazione.
- PS: scrivere un volantino per una competizione sportiva.
- CL: completare un testo su un evento sportivo.

- Gli italiani e lo sport.

Le parole del mondo del cinema.

- CS: comprendere le trame di film e il loro genere.
- CO: comprendere la biografia di un'attrice.
- PO: dialogare sul film che si intende andare a vedere.
- PS: raccontare per iscritto la propria giornata.

- Il cinema italiano.

I prodotti alimentari e i negozi.
Le quantità.

- CO: comprendere un messaggio con le indicazioni per la spesa.
- PO: immaginare un dialogo con diversi negozianti.
- PS: scrivere la lista della spesa.
- CS: capire le informazioni di un'email.

- L'euro italiano.

Le feste.
Le azioni e le parole delle feste.
Le espressioni di augurio.

- PO: raccontare cosa hanno fatto delle persone per le feste.
- CO: comprendere un dialogo e completare delle frasi.
- CS: comprendere le tradizioni descritte in un'email.
- PS: scrivere un'email parlando dei regali che si vorrebbero ricevere per Natale.
- CL: completare un testo su una tradizione italiana.

- L'Italia in festa.

L'attrezzatura e l'abbigliamento per lo sport alpino.
Gli animali di montagna.

- CO: comprendere dei dialoghi.
- PS: scrivere un'email descrivendo una vacanza.
- CS: comprendere un testo su una località montana.
- PO: raccontare una storia illustrata.

- Tutti sulla neve!

TAVOLA DEI CONTENUTI

Lessico	Certificazione	Civiltà

Il Carnevale.
Il teatro.

- CO: comprendere un dialogo.
- PO: descrivere delle immagini.
- CS: comprendere un articolo sul Carnevale.
- PS: scrivere un'email per organizzare una festa.

- Le maschere della Commedia dell'Arte.

Gli strumenti musicali.
Le espressioni di rammarico e di contentezza o sollievo.

- CO: comprendere delle informazioni su cantanti.
- PO: descrivere i cambiamenti di alcuni luoghi nel tempo.
- CS: comprendere un testo sulla musica.
- PS: scrivere un'email raccontando la propria esperienza alle scuole elementari.

- Note italiane.

Il meteo.
I monumenti.

- CL: completare un testo sulla scuola del futuro.
- CO: comprendere le previsioni del tempo.
- CS: comprendere un testo su una visita alla città di Napoli.
- PS: scrivere un'email sui luoghi da visitare nella propria regione.
- PO: discutere sui propri programmi per il fine settimana.

- Il paese delle meraviglie.

1 Completa le parole con le consonanti e leggi la frase ad alta voce insieme ai tuoi compagni.

| B | C | L | N | N | R | S | T | T |

_ E _ _ O _ _ A _ O   A   _ _ U O _ A !

2 In gruppo. Guardate il disegno e, in due minuti, scrivete sul quaderno cosa stanno facendo questi ragazzi. Il gruppo che scrive più frasi, vince!

A _sta giocando con i videogiochi_ .

3 (1-2) Ascolta e scrivi sotto ogni disegno il nome di chi parla e dove è andato in vacanza.

1 _____

_____

2 _____

_____

3 _____

_____

4 _____

_____

4 (1-3) Nel gruppo di ragazzi c'è un amico nuovo. Ascolta la sua presentazione e completa la scheda.

Nome: _____
Anni: _____
Classe: _____
Descrizione fisica: _____
Caratteristiche: _____
Hobby: _____

5a Cerca nella griglia i verbi al presente indicativo. Poi scrivili con il soggetto, vicino all'infinito corrispondente, come nell'esempio.

C	H	R	S	A	N	N	O
S	E	I	P	D	O	B	H
I	T	M	E	I	F	E	A
R	O	A	N	C	A	V	N
V	E	N	G	O	N	O	N
A	S	G	O	N	N	V	O
D	C	O	A	O	O	U	N
O	I	A	T	O	L	G	O
M	I	S	T	A	I	C	O

andare _____io vado_____

avere _____

bere _____

dare _____

dire _____

essere _____

fare _____

rimanere _____

sapere _____

spegnere _____

stare _____

togliere _____

uscire _____

venire _____

5b Adesso completa il proverbio con le lettere rimaste nella griglia.

___ ___ ___   ___ ___ ___ ___ ___

___ ___   ___ ___ ___ ___ ___

trova un tesoro.

6 Guarda i disegni e scrivi i dialoghi.

1 - *Quando è il tuo compleanno?*

   - _____

2 - _____

   - _____

3 - _____

   - _____

4 - _____

   - _____

7 Completa i consigli con i verbi nel riquadro.

> ascolta ▪ chiedi ▪ dormi ▪ evita ▪ fa' ▪ leggi ▪ mangia ▪ ripassa ▪ studia ▪ va'

Si torna a scuola

Vuoi vivere alla grande il nuovo anno scolastico? Ecco qualche segreto!
___Studia___ ogni giorno, anche quando non hai compiti. Durante l'intervallo _____ un frutto, _____ invece le merendine. A lezione, se non capisci qualcosa, _____ domande all'insegnante e _____ di ripetere! La sera, prima di andare a letto _____ velocemente le lezioni, così puoi ricordarle facilmente e dopo _____ almeno otto ore. Durante le verifiche o le interrogazioni _____ o _____ attentamente le domande prima di rispondere. E il fine settimana... _____ a giocare e a rilassarti con gli amici!

8 In coppia. Di che colore sono queste parole? Vince chi riesce a dire i nomi di tutti i colori senza sbagliare.

rosso **bianco** marrone verde

nero **arancione** blu **grigio**

viola **giallo** rosa rosso

bianco celeste **verde** **nero**

arancione

9 In coppia. Lanciate il dado e avanzate nelle caselle: se rispondete bene rimanete sulla casella, altrimenti tornate indietro. Vince chi raggiunge per primo l'Arrivo.

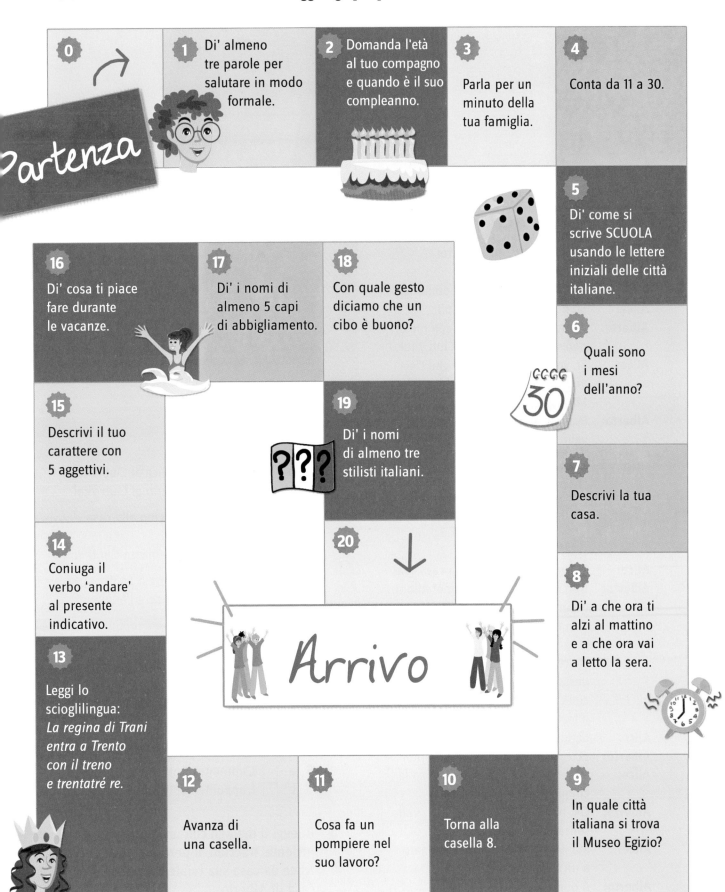

Partenza

0

1 Di' almeno tre parole per salutare in modo formale.

2 Domanda l'età al tuo compagno e quando è il suo compleanno.

3 Parla per un minuto della tua famiglia.

4 Conta da 11 a 30.

5 Di' come si scrive SCUOLA usando le lettere iniziali delle città italiane.

6 Quali sono i mesi dell'anno?

7 Descrivi la tua casa.

8 Di' a che ora ti alzi al mattino e a che ora vai a letto la sera.

9 In quale città italiana si trova il Museo Egizio?

10 Torna alla casella 8.

11 Cosa fa un pompiere nel suo lavoro?

12 Avanza di una casella.

13 Leggi lo scioglilingua: *La regina di Trani entra a Trento con il treno e trentatré re.*

14 Coniuga il verbo 'andare' al presente indicativo.

15 Descrivi il tuo carattere con 5 aggettivi.

16 Di' cosa ti piace fare durante le vacanze.

17 Di' i nomi di almeno 5 capi di abbigliamento.

18 Con quale gesto diciamo che un cibo è buono?

19 Di' i nomi di almeno tre stilisti italiani.

20

Arrivo

Teatro Odeon

Club Vital

1 (1-4) **Ascolta e leggi.**

Alice: Pronto, chi parla?

Alberto: Pronto Alice, sono Alberto!

Alice: Ciao Alberto, come va?

Alberto: Tutto ok! Sei libera oggi pomeriggio?

Alice: Sì, ho quasi finito i compiti.

Alberto: Allora dopo vuoi venire con me al nuovo club sportivo? Il Club Vital.

Alice: Sì, volentieri. Ho sentito che c'è anche il pattinaggio su ghiaccio! Ma dov'è esattamente?

Alberto: Proprio vicino a casa mia. Puoi venire qui e poi andiamo insieme!

Alice: Va bene, qual è il tuo indirizzo?

Alberto: Via Mazzini 6.

Alice: Mi sai dire quale autobus arriva in via Mazzini?

Alberto: Ma non prendere l'autobus, vieni a piedi, non è lontano!

Alice: Non so arrivare a piedi a casa tua!

Alberto: Non dire così, è facilissimo! Allora, quando esci supera la posta e poi va' sempre dritto lungo viale Po. Prendi la terza strada a sinistra, attraversa piazza Garibaldi e gira alla seconda a destra: io abito lì, vicino all'incrocio con corso Indipendenza. Conosci il teatro Odeon?

Alice: Sì, lo conosco bene!

Alberto: Ecco, io abito proprio lì di fronte!

Alice: Perfetto, ho capito. Arrivo verso le cinque, va bene?

Alberto: Ok, non fare tardi però, se no vado senza di te!

Alice: Ma no, dai! Non ho mai ritardato a un appuntamento, lo sai!

Alberto: A dopo allora!

2 **Indica la frase corretta.**

1 a ☐ Alberto invita Alice al Club Vital.
  b ☐ Alice invita Alberto al Club Vital.

2 a ☐ Il Club Vital è vicino alla casa di Alberto.
  b ☐ Il Club Vital è in piazza Garibaldi.

3 a ☐ Alice vuole andare a piedi.
  b ☐ Alice vuole prendere l'autobus.

4 a ☐ Alice deve attraversare piazza Garibaldi.
  b ☐ Alice deve attraversare corso Indipendenza.

5 a ☐ Alberto abita dietro il teatro Odeon.
  b ☐ Alberto abita di fronte al teatro Odeon.

6 a ☐ L'appuntamento è alle tre.
  b ☐ L'appuntamento è alle cinque.

3 **Rileggi il dialogo con un compagno e, insieme, tracciate il percorso che deve fare Alice da casa sua (viale Po) per arrivare a casa di Alberto.**

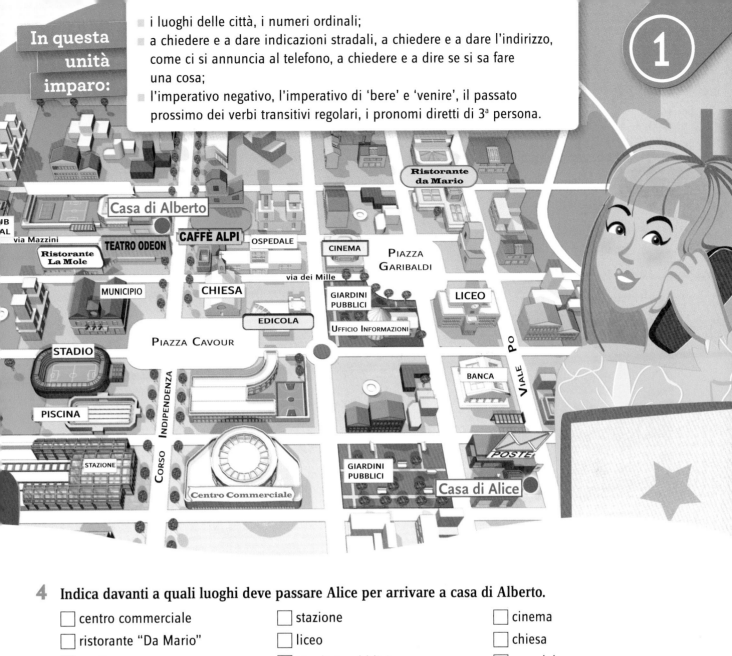

In questa unità imparo:

- i luoghi delle città, i numeri ordinali;
- a chiedere e a dare indicazioni stradali, a chiedere e a dare l'indirizzo, come ci si annuncia al telefono, a chiedere e a dire se si sa fare una cosa;
- l'imperativo negativo, l'imperativo di 'bere' e 'venire', il passato prossimo dei verbi transitivi regolari, i pronomi diretti di 3ª persona.

①

4 **Indica davanti a quali luoghi deve passare Alice per arrivare a casa di Alberto.**

☐ centro commerciale   ☐ stazione   ☐ cinema

☐ ristorante "Da Mario"   ☐ liceo   ☐ chiesa

☐ stadio   ☐ giardini pubblici   ☐ ospedale

☐ banca   ☐ piscina   ☐ caffè Alpi

5 **Cerca nel dialogo le espressioni usate per dire queste cose.**

Alberto chiede ad Alice di arrivare puntuale.

Non fare tardi.

1 Alice risponde al telefono.

_____

2 Alice domanda ad Alberto dove abita.

_____

3 Alberto dice ad Alice che non deve prendere l'autobus.

_____

4 Alice dice che non conosce la strada per andare a piedi a casa di Alberto.

_____

ADESSO TOCCA A TE!

6 **Qual è l'indirizzo della tua scuola?**

_____

7 **Rispondi alle domande.**

1 Davanti a quali luoghi passi per andare a scuola?

2 Attraversi qualche piazza? Come si chiama?

3 Qual è il tuo indirizzo?

La città

1 (1-5) **Collega i nomi alle immagini. Dopo ascolta e controlla.**

1 ☐ il giardino pubblico
2 ☐ la rotonda
3 ☐ il caffè
4 ☐ la fermata dell'autobus
5 ☐ il municipio
6 ☐ il cinema
7 ☐ il semaforo
8 ☐ la stazione della metropolitana
9 ☐ la piazza
10 ☐ la via

> **Attenzione!** !
>
> Il viale e il corso sono strade larghe e generalmente importanti.
> Il viale, inoltre, è di solito alberato.

2 (1-6) **Ascolta e scrivi i numeri dei dialoghi dove si parla di questi luoghi.**

a ☐

b ☐

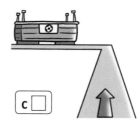
c ☐

d ☐

3 (1-7) **Abbina ogni immagine all'espressione giusta. Dopo ascolta e controlla.**

a   b   c   d

e   f   g   h

1 ☐ andare dritto
2 ☐ girare a destra
3 ☐ girare a sinistra
4 ☐ tornare indietro
5 ☐ attraversare
6 ☐ in mezzo a
7 ☐ girare intorno a
8 ☐ strisce pedonali

4 (1-8) Ascolta e segna sulla cartina il percorso che deve fare Angelo per andare da casa sua fino a scuola. Indica anche l'edificio della scuola.

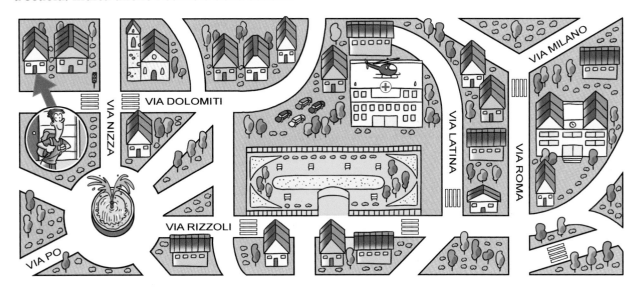

I numeri ordinali

5 (1-9) Osserva i numeri e completa l'elenco. Dopo ascolta, controlla e ripeti.

1° primo/prima
2° secondo/a
3° terzo/a
4° quarto/a
5° quinto/a

6° sesto/a
7° settimo/a
8° ottavo/a
9° nono/a
10° decimo/a

undicesimo
20° ventesimo
35° trentacinquesimo
49° _____
54° _____

66° sessantaseiesimo
72° _____
81° _____
97° _____
100° centesimo

6 Risolvi gli anagrammi di questi ordinali e dopo collegali al numero in cifre.

MOTISET	_____	2°
SITREMOCEDI	_____	28°
VANNOVEMOTASINO	_____	13°
MOTOTTEVENSI	_____	99°
CONSEDO	_____	7°

Attenzione! ❗

I numeri ordinali da 1° a 10° sono irregolari. Da 11° in poi si formano sempre con il suffisso -esimo/a.

Domandare e dire un indirizzo

1 (1-10) **Ascolta e ripeti.**

Dove abiti?

In piazza Vivaldi 12.

Dov'è il museo?

In corso Matteotti 16.

In che via è la scuola?

In via Napoli 3.

Qual è il tuo indirizzo?

Il mio indirizzo è via Puccini 16.

Mi dai il tuo indirizzo?

Il mio indirizzo è vicolo del Piede 2.

Qual è l'indirizzo della palestra?

Viale Verdi 90.

2 **In coppia. A turno domandate l'indirizzo dei luoghi segnati in questa cartina e rispondete.**

Chiedere e dare indicazioni stradali

3 (1-11) **Ascolta e ripeti.**

Scusi, dov'è corso Pertini?

Sempre dritto e al semaforo a sinistra.

Per favore, mi sai dire come arrivare in viale Marconi?

Attraversa la piazza e prendi la prima a sinistra.

Scusa, devo andare in piazza Plebiscito.

Non andare dritto, gira a destra.

Scusa, vado bene per via Dante?

Sì, sempre dritto.

Per favore, piazza Cavour.

Mi dispiace, non lo so!

4 **In coppia.**

1 A turno scegliete nella cartina qui sotto un punto di partenza e un luogo dove volete andare. Chiedete informazioni per arrivarci.

2 A sceglie un punto di partenza e dà indicazioni a B su come arrivare in un altro punto. B traccia il percorso sulla cartina con la matita. Dopo si scambiano i ruoli.

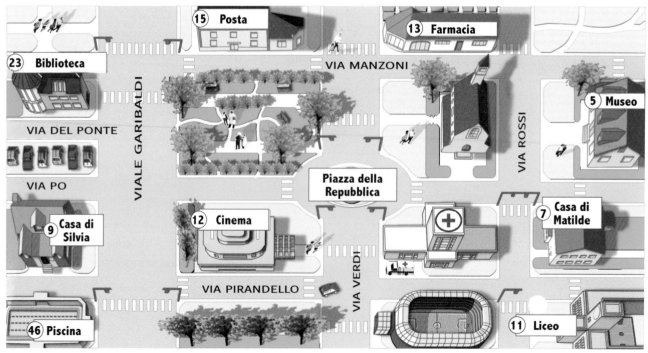

Annunciarsi al telefono

5 (1-12) **Ascolta e ripeti.**

Pronto Alice? Ciao, sono Alberto!

Ciao Alberto!

Alice, sei tu?

Sì, sono io!

No, sono sua sorella.

Pronto, casa Bissi? C'è Alice?

Sì, certo, la chiamo subito.

Buongiorno, sono Alberto. Posso parlare con Alice?

Mi dispiace, non è in casa. Vuoi lasciare un messaggio?

Pronto, la biblioteca comunale?

Sì, chi parla?

No, ha sbagliato numero.

6 (1-13) **Ascolta e completa i dialoghi.**

1 - Pronto? Buongiorno, sono Matteo,
   _____?

   - No, mi dispiace, non c'è. _____?

   - No grazie, richiamo più tardi. Arrivederci.

2 - Pronto, chi parla?

   - Pronto, sono Ada, _____?

   - Un attimo, _____!

   - Ciao Sandro, _____?

   - Sì, ciao Ada, sono io!

3 - Buongiorno, è la segreteria della scuola Montessori?

   - No, mi dispiace, _____!

   - Ah mi scusi tanto!

   - _____!

7 In coppia. Telefoni al tuo amico Leo ma risponde sua madre. Leo non è in casa e tu vuoi lasciare un messaggio.

Chiedere e dire se si sa fare qualcosa

8 (1-14) **Ascolta e ripeti.**

A Sai pattinare?

B Sì, so pattinare molto bene!

B Sì, abbastanza bene.

B No, sono un disastro!

A Io so ballare, e tu?

B Anche io!

B No, non so ballare per niente!

9 Guarda i disegni e scrivi cosa sanno fare o non sanno fare questi ragazzi.

1

Lia _____
Piero _____

2

Giada _____
Sandro _____

3

Katia _____
Lucio _____

4

Eva _____
Leo _____

5

Carla _____
Aldo _____

6

Enzo _____
Iris _____

Passato prossimo I

	Parlare	Vendere	Capire
io ho	parl**ato**	vend**uto**	cap**ito**
tu hai	parl**ato**	vend**uto**	cap**ito**
lui/lei ha	parl**ato**	vend**uto**	cap**ito**
noi abbiamo	parl**ato**	vend**uto**	cap**ito**
voi avete	parl**ato**	vend**uto**	cap**ito**
loro hanno	parl**ato**	vend**uto**	cap**ito**

Il passato prossimo dei verbi transitivi si forma con l'ausiliare 'avere' e il participio passato.
Il participio passato regolare si forma come segue:

verbi in -are → **-ato**
verbi in -ere → **-uto**
verbi in -ire → **-ito**

Attenzione! !

Il participio passato del verbo 'fare' ha due 't':
fatto.

1 Completa le frasi con il verbo al passato prossimo.

1 Noi (finire) _____
   i compiti.

2 Mia madre (studiare) _____
   negli Stati Uniti.

3 Ieri io (mandare) _____
   una email al mio amico australiano.

4 Gli studenti (parlare) _____
   un'ora in italiano.

5 Questa mattina noi (sapere) _____
   la data dell'esame.

6 (Voi, ripetere) _____ bene la lezione?

7 Oggi io non (capire) _____
   la spiegazione di geometria!

8 Noi (fare) _____ colazione in giardino.

9 Il cliente al bar (volere) _____ un caffè.

10 Rita (dimenticare) _____
   il libro a casa.

11 Leo (vendere) _____ la sua bicicletta.

2 Guarda le foto e scrivi cosa hanno fatto queste persone.

| ① | ② |
(pulire) _____ (suonare) _____

| ③ | ④ |
(pattinare) _____ (ricevere) _____

Imperativo di bere e venire

	Bere	Venire
tu	bevi	vieni
lui/lei/Lei	beva	venga
noi	beviamo	veniamo
voi	bevete	venite
loro	bevano	vengano

3 Trasforma le frasi all'imperativo.

Signora, deve bere meno caffè.
Signora, beva meno caffè!

1 Maria, devi venire subito qui!

   _____

2 Ragazzi, dovete bere il latte a colazione.

   _____

3 Gli studenti devono venire subito in classe.

   _____

4 Dobbiamo bere acqua naturale.

   _____

5 Signor Goletti, deve venire nel nostro ufficio.

   _____

Imperativo negativo

Mangiare

tu	non mangiare
lui/lei/Lei	non mangi
noi	non mangiamo
voi	non mangiate
loro	non mangino

> La forma negativa dell'imperativo si forma con la particella 'non' davanti al verbo. Alla 2ª persona singolare il verbo rimane all'infinito.
> *Mario, **non aprire** la finestra.*

4 Completa le frasi con le forme dell'imperativo affermativo e negativo alla 2ª persona singolare.

(girare) Per arrivare a piazza Colombo ___gira___ a destra, non ___girare___ a sinistra.

1 (andare) Per corso Roma _____ sempre dritto, non _____ a destra.

2 (prendere) Per il centro _____ l'autobus 15, non _____ il 19.

3 (venire) _____ a casa mia a piedi, non _____ in autobus.

4 (bere) Fa caldo, _____ l'acqua, non _____ bibite gassate.

5 (parlare) Non _____ in inglese, _____ in italiano.

6 (pulire) Non _____ la cucina, _____ la tua camera.

7 (fare) _____ presto, non _____ tardi.

8 (scendere) Non _____ alla prima fermata, _____ alla seconda.

Pronomi diretti 3ª persona

	Maschile	Femminile
Singolare	lo	la
Plurale	li	le

> I pronomi diretti sostituiscono un nome oggetto diretto di un verbo. Si mettono davanti al verbo coniugato.
> - *Conosci il teatro Odeon?*
> - *Sì, **lo** conosco.* (il pronome diretto sostituisce il nome 'teatro Odeon').
>
> Nelle frasi negative il pronome diretto viene dopo la particella 'non'.
> *No, **non lo** conosco.*
>
> Davanti a vocale e 'h' i pronomi singolari possono perdere la vocale.
> *Maria studia con me, l'aiuto in matematica.*
> *Ho incontrato Giuseppe e l'ho salutato.*

5 Unisci le definizioni ai nomi.

1 La fai in palestra. ☐ i compiti
2 Li cura il veterinario. ☐ le candeline
3 Le spegni al compleanno. ☐ il film
4 Lo bevi a colazione. ☐ la ginnastica
5 Li fai il pomeriggio. ☐ le bugie
6 La frequenti tutti i giorni. ☐ il latte
7 Lo vedi al cinema. ☐ gli animali
8 Le dice Pinocchio. ☐ la scuola

6 Completa le frasi con i pronomi personali diretti.

- Stasera guardi la tv?
- No, non _la_ guardo.

1 - Compri queste riviste?
- Sì, _____ compro.

2 - Bevi un tè?
- Sì, grazie, _____ bevo volentieri.

3 - Conosci le mie amiche?
- No, non _____ conosco.

4 - Hai mangiato il panino?
- No, non _____ ho mangiato.

5 - Prendete l'autobus?
- No, non _____ prendiamo.

6 - Inviti i tuoi amici alla festa?
- Certo, _____ invito tutti.

Ascoltare

1 (1-15) Ascolta il dialogo e segna sulla cartina il percorso che deve fare Diana.

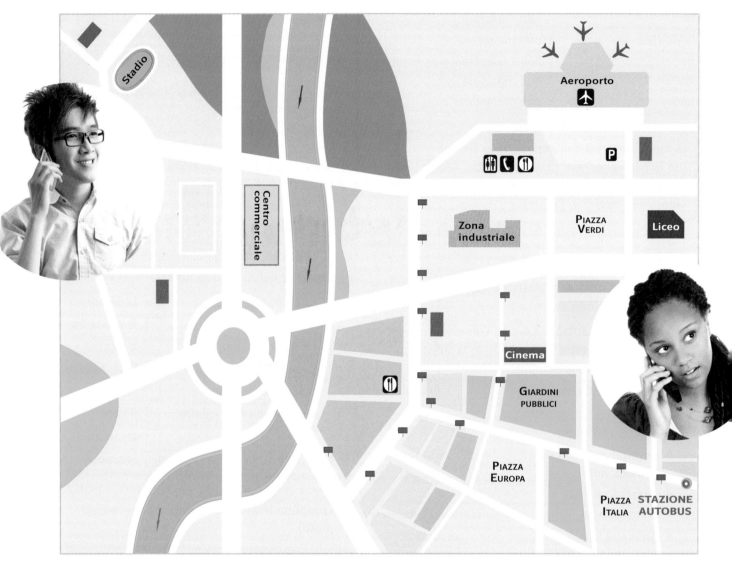

2 (1-15) Riascolta il dialogo e completa le frasi.

1 Oggi inaugurano il _____.

2 L'appuntamento è alle _____.

3 Diana deve prendere l'autobus numero _____ e scendere _____.

4 Il centro commerciale è di fronte _____.

5 Diana e Giancarlo si vedono _____.

Parlare

3 Descrivi al compagno il percorso che fai per venire a scuola.

Scrivere

4 Scrivi il percorso che il tuo compagno ti ha spiegato nell'attività 3.

Leggere

5 Leggi il testo e completa l'immagine della piazza.

EMAIL

Ciao Luca,
come stai? Io bene ma sono un po' stanco perché la settimana scorsa abbiamo cambiato casa
e abbiamo finito di mettere tutto a posto solo dieci minuti fa! Il nuovo appartamento è molto bello,
ho finalmente una camera tutta per me! Dalla cucina si vede un panorama strepitoso:
le montagne e il parco pubblico. Bellissimo!!!
Dalla mia camera invece vedo piazza dei Mille. Al centro c'è il monumento di Garibaldi a cavallo
con intorno quattro piccole fontane. Sulla piazza c'è l'entrata dell'asilo, quindi ci sono sempre
molti bambini.
A destra dell'asilo c'è il Museo Archeologico, che si trova in un antico palazzo.
A sinistra invece ci sono un cinema e un bar con fuori molti tavolini. Più avanti, dopo il bar,
c'è la fermata dell'autobus, quindi puoi prendere il 23 e venire facilmente a casa mia!
Ti aspetto!

Emanuele

Scendiamo *in piazza*

La piazza è il luogo dove si incontrano cultura e storia, simboli e tradizioni, per questo è considerata il centro vitale della città. La piazza italiana, dunque, è progettata per accogliere le feste, i mercati e le celebrazioni religiose.

Questa centralità della piazza in Italia discende dalla cultura, dalla religione e dall'economia.
La sua origine risale all'antico Foro romano: uno spazio protetto, circondato dalle colonne e dalle mura dei templi, un luogo per il cittadino e l'uomo religioso, per conversare, fare affari, per incontrare gli altri.
Nel Foro romano c'erano gli edifici pubblici e i templi, i simboli del potere e della religione.

Nell'Italia dei Comuni e delle Signorie, tra l'XI e il XV secolo, la tradizione della piazza è continuata, con il palazzo comunale, la chiesa e, spesso, con la fontana in posizione centrale. Col passare del tempo, la piazza ha continuato a essere il cuore della città e, ancora oggi, anche nelle grandi metropoli, ospita concerti, spettacoli, manifestazioni ed eventi sportivi.

Piazza dei Miracoli
Pisa

Qui si trovano il duomo, il battistero, il Campo Santo e la torre pendente di Pisa. La piazza è... di erba! Oggi la torre di Pisa è un campanile, in passato era anche un faro per le navi.

Piazza del Campo
Siena

Ha la forma di una conchiglia e discende verso il Palazzo Comunale. La piazza è dominata dalla bellissima torre del Mangia, così chiamata dal soprannome del suo custode, Mangiaguadagni.

Piazza Grande
Palmanova

Piazza Grande si trova esattamente al centro di Palmanova, in Friuli Venezia Giulia, ed è uno spazio perfettamente esagonale. La città è nata come fortezza e ha la forma di una stella.

Piazza San Marco
Venezia

In passato, le persone importanti arrivavano a Venezia dal mare, proprio a piazza San Marco. Anche il campanile di piazza San Marco era un faro.

Rispondi alle domande.

1 Ci sono piazze importanti nella tua città?
2 Se sì, quali monumenti ci sono?
3 Nella tua città c'è un mercato grande? Se sì, dove?
4 Dove si svolgono le feste e le manifestazioni nella tua città?

FILMATO DAL WEB

CLICCA E GUARDA

Una divertente pubblicità di un navigatore satellitare immaginario: il modo più difficile per arrivare a destinazione.

www.elionline.com/amiciditalia

1 (1-16) Ascolta e leggi.

Matilde: Cosa hai fatto Rafael? Hai una faccia...

Rafael: Muoio di sonno! Stanotte non ho dormito per il mal di denti.

Matilde: Non è una scusa per non fare ginnastica?

Rafael: No, sto veramente male. Anzi, adesso salgo in segreteria e telefono a mio padre, così mi viene a prendere e mi porta dal dentista.

Alice: Accidenti, mi dispiace! Certo, se ti senti così male è meglio se vai a casa... E tu, Damiano, cos'hai? Non vai a giocare a pallavolo?

Damiano: Non ci posso andare, anche io sto male. Ieri ho corso per un'ora sotto la pioggia e ho preso il raffreddore! Adesso sento freddo e tremo come una foglia, in più ho un terribile mal di testa! Non posso giocare... Voi andate, io mi siedo qui e vi guardo dalla panchina.

Silvia: Secondo te il professore ti lascia in panchina a guardare? Visto che siete in pochi, forse devi giocare lo stesso.

Professore: Silvia e Matilde, cominciate l'allenamento di ginnastica artistica! Gli altri in campo, forza! Iniziamo la partita.

Silvia: Damiano, hai visto? Devi giocare anche tu!

Damiano: Professore, scusi, ma oggi sto veramente male, non posso giocare.

Professore: Allora va' in segreteria, chiama i tuoi genitori e chiedi di venire a prenderti.

Damiano: Grazie professore, ci vado subito. Buon allenamento ragazzi!

2 Indica se le frasi sono vere (V) o false (F).

	V	F
1 Rafael muore di sonno.	☐	☐
2 Rafael telefona al dentista.	☐	☐
3 Alice va a casa.	☐	☐
4 Damiano ieri ha giocato a pallavolo.	☐	☐
5 Damiano ha il raffreddore.	☐	☐
6 Damiano si siede in panchina.	☐	☐
7 Silvia e Matilde fanno ginnastica artistica.	☐	☐
8 Silvia dice che Damiano deve stare in panchina.	☐	☐
9 Il professore dice a Damiano di chiamare i suoi genitori.	☐	☐
10 Damiano augura ai compagni di fare un buon allenamento.	☐	☐

—*Buono a sapersi!*—

L'espressione 'tremare come una foglia' significa tremare fortemente per il freddo o per la paura.

In questa unità imparo:

- gli sport, le parti del corpo umano;
- a chiedere e a dire quali sport si praticano e si seguono, a chiedere e a dire per quale squadra si tifa, a esprimere opinioni, modi di dire con le parti del corpo;
- il presente indicativo dei verbi 'morire', 'salire', 'sedersi', alcuni nomi plurali irregolari, i pronomi diretti atoni, alcuni participi **passati** irregolari, le congiunzioni 'visto che' e 'dato che', il 'ci' locativo.

2

3 Leggi il volantino e rispondi.

1 Cosa pubblicizza il volantino?

_____.

2 A chi si rivolge?

_____.

3 Come sono composte le squadre?

_____.

4 Dove è possibile iscriversi?

_____.

5 Entro quando è possibile iscriversi?

_____.

6 Quando si giocano le partite?

_____.

ADESSO TOCCA A TE!

4 **Quale sport pratichi? Partecipi a gare o tornei? Parlane con un compagno.**

TORNEO SCOLASTICO DI CALCETTO
26-30 maggio

Ogni classe deve formare una squadra mista, composta da 3 studenti e 3 studentesse.

Per le iscrizioni al torneo rivolgersi in palestra, al professore di educazione fisica, o in segreteria, obbligatoriamente entro il 15 maggio.

Le partite si giocheranno in orario pomeridiano nel campetto della scuola.

---*Buono a sapersi!*---

Il calcetto ha regole simili al calcio giocato con 11 giocatori. Di solito le squadre di calcetto sono formate da 5 giocatori ma ci sono varianti anche con 6, 7 o 8 giocatori; in quest'ultimo caso si chiama 'calciotto'.

Gli sport

1 Scrivi accanto alle frasi la lettera dello sport a cui si riferiscono.

1 Emma va spesso a cavallo. ☐
2 Anna indossa i pattini e scende in pista. ☐
3 Ti piace correre e partecipi a molte gare. ☐
4 Amo la Ferrari e seguo la Formula 1. ☐
5 Luigi si allena in bicicletta con gli amici. ☐
6 Livia è brava, fa sempre canestro. ☐
7 Piero, quando può, prende la canoa e va al fiume. ☐
8 Frequento i corsi alla piscina comunale. ☐

a Ciclismo

b Pallacanestro

c Pattinaggio

d Canottaggio

e Equitazione

f Nuoto

g Corsa

h Automobilismo

2 (1-17) Guarda le foto, ascolta le frasi e ripeti.

1 Dorina fa scherma.

2 Patrizio è campione di pugilato.

3 Nanni gioca a pallanuoto.

4 Valentino partecipa alle gare di motociclismo.

5 Sara è campionessa di salto in alto.

6 Roberto fa tiro con l'arco.

3 Completa le frasi con i verbi nel riquadro.

correre ▪ giocare ▪ nuotare ▪ partecipare
▪ pattinare ▪ praticare

1 Domani (noi) _____ a tennis al club sportivo.
2 Luca _____ alla gara di equitazione.
3 Ragazzi, voi _____ qualche sport?
4 Quando vado in piscina _____ per un'ora.
5 D'inverno Irma _____ sul ghiaccio.
6 Ogni mattina (voi) _____ nel parco.

Il corpo umano

4 (1-18) Guarda la foto e scrivi nei quadratini le lettere corrispondenti alle parti del corpo. Dopo ascolta e controlla.

1 ☐ il dito
2 ☐ la mano
3 ☐ il gomito
4 ☐ il braccio
5 ☐ la gamba
6 ☐ il ginocchio
7 ☐ il piede
8 ☐ la testa
9 ☐ la fronte
10 ☐ l'orecchio
11 ☐ il naso
12 ☐ la bocca
13 ☐ il mento
14 ☐ il collo

5 (1-19) Ascolta e scrivi il plurale irregolare di questi nomi.

1 il sopracciglio _____
2 il ciglio _____
3 l'orecchio _____
4 il labbro _____

5 il braccio _____
6 la mano _____
7 il dito _____
8 il ginocchio _____

6 Sottolinea le parti del corpo con cui si fanno queste azioni.

Odorare con *il collo/il naso*.

1 Correre con *le orecchie/i piedi*.
2 Ascoltare con *le orecchie/le braccia*.
3 Sorridere con le *ginocchia/le labbra*.
4 Toccare con *il sopracciglio/il dito*.
5 Salutare con *la mano/la gamba*.

Chiedere e dire quale sport si pratica

1 (1-20) Ascolta il dialogo e ripeti.

Fai qualche sport?

Sì, gioco a pallacanestro, e tu?

Io invece faccio nuoto.

Quante volte alla settimana vai in piscina?

Ci vado due volte, il martedì e il venerdì. Tu invece quando vai in palestra?

Anch'io ci vado due volte: il lunedì e il giovedì.

2 In coppia. Intervista il compagno chiedendo quale sport pratica e in quali giorni.

Chiedere e dire quale sport si segue e per quale squadra si tifa

3 Leggi e ripeti il dialogo.

Segui qualche sport?

Sì, il calcio.

Per quale squadra tifi?

Tifo per la Fiorentina! Seguo tutte le partite!

4 Metti in ordine questo dialogo.

☐ **G:** No, che cos'è?

☐ **R:** Visto che sono brasiliano ma vivo a Torino, tifo per due squadre: il Flamengo e la Juventus. Nella Formula Uno più che per una squadra, tifo per un pilota: il mio mito è Alonso!

☐ **G:** Grazie per la collaborazione. A presto.

☐ **G:** Molto interessante. Segui anche altri sport?

☐ **R:** È un'arte marziale molto simile a una danza. È di origine brasiliana.

☐ **Giornalista:** Ciao Rafael, sono del giornalino della scuola. Posso farti qualche domanda?

☐ **R:** Sì, la capoeira. La conosci?

☐ **Rafael:** Sì, certo.

☐ **G:** E per quale squadra tifi?

☐ **R:** Seguo il calcio, come quasi tutti i ragazzi della mia classe e la Formula Uno.

☐ **G:** Pratichi qualche sport?

5 Fai un sondaggio nella tua classe. Chiedi ai compagni quale sport seguono e per quale squadra tifano.

Chiedere e dare opinioni

6 Leggi e ripeti il dialogo.

Secondo te, vinciamo la partita contro la III C?

Secondo me perdiamo. È una squadra molto forte.

7 Rispondi alle domande.

1 Secondo te, quanti anni ha Ruggero?

_____ (sei)

2 Secondo voi, chi vince il campionato di calcio quest'anno?

_____ (l'Inter)

3 Secondo te, perché i vicini fanno tanto rumore?

_____ (fare una festa)

4 Secondo Lei, quanto costa questa racchetta da tennis?

_____ (90 euro)

5 Secondo te, qual è una materia veramente interessante?

_____ (la storia)

6 Secondo voi, cosa c'è dentro il pacco che ha portato Daria?

_____ (un paio di stivali)

7 Secondo te, quanto è lontana la palestra da casa mia?

_____ (200 metri)

Modi di dire

─**Buono a sapersi!**─

L'espressione 'morire di fame/sete/paura' ecc. significa 'avere molta fame/sete/paura' ecc.

8 Leggi le frasi e completale con le parole del riquadro.

> curiosità ■ fame ■ freddo ■ paura
> ■ sete ■ sonno

1 Vi vedo stanchi, morite di _____ .

2 È dalle 8.00 che non mangi, per questo muori di _____ .

3 Fa davvero caldo, devo bere perché muoio di _____ .

4 Luisa e Liliana vogliono aprire il regalo perché muoiono di _____ .

5 Quando vediamo i film dell'orrore moriamo di _____ .

6 Giorgia chiude la finestra perché muore di _____ .

─**Buono a sapersi!**─

In italiano ci sono diversi modi di dire in cui si usano le parti del corpo, per esempio:

Essere alla mano (essere una persona semplice).
Parlare a braccio (parlare in pubblico senza prepararsi).

9 Leggi le frasi e dopo abbina i modi di dire ai loro significati.

1 La prego professore, per questa volta <u>chiuda un occhio</u>... Prometto di non farlo più!

2 Patrizio è molto pigro: in casa <u>non muove mai un dito</u>.

3 Vincenzo <u>ha perso</u> completamente <u>la testa</u>! Dice cose senza senso!

4 <u>Dai una mano</u> a tua madre! Non vedi che è piena di buste della spesa?

5 Che impicciona Gaia! Quando qualcuno parla, lei <u>ci mette sempre bocca</u> e dice cosa pensa!

6 Il meccanico di papà <u>lavora con i piedi</u>! La sua macchina è sempre rotta!

7 Rafael e Damiano in classe sono seduti allo stesso banco, <u>lavorano gomito a gomito</u>.

8 Peccato, Maria ti dà sempre buoni suggerimenti ma quello che dice <u>ti entra da un orecchio e ti esce dall'altro</u>!

1 ☐ Chiudere un occhio.

2 ☐ Non muovere un dito.

3 ☐ Perdere la testa.

4 ☐ Dare una mano.

5 ☐ Mettere bocca.

6 ☐ Lavorare con i piedi.

7 ☐ Lavorare gomito a gomito.

8 ☐ Entrare da un orecchio e uscire dall'altro.

a Diventare pazzi o innamorarsi.

b Non volere ascoltare consigli.

c Non fare niente.

d Lavorare male.

e Fingere di non vedere qualcosa.

f Lavorare vicini.

g Intervenire in un discorso.

h Aiutare.

Presente indicativo di verbi irregolari

	Morire	**Salire**	**Sedersi**
io	muoio	salgo	mi siedo
tu	muori	sali	ti siedi
lui/lei	muore	sale	si siede
noi	moriamo	saliamo	ci sediamo
voi	morite	salite	vi sedete
loro	muoiono	salgono	si siedono

1 Completa le frasi con i verbi.

1 Lucia (morire) _____ dalla voglia di mangiare un gelato.

2 Marco e Lidia (salire) _____ le scale di corsa.

3 Visto che siamo stanchi, (sedersi) _____ un po' sul prato.

4 (io, morire) _____ di fame: mi preparo un panino.

5 Mario (sedersi) _____ perché ha un dolore al ginocchio.

6 (io, salire) _____ a piedi perché l'ascensore è rotto.

2 Unisci le due parti delle frasi.

1 ☐ Se sali le scale di fretta

2 ☐ Muoio di noia,

3 ☐ Andiamo al bar,

4 ☐ Marzia resta sveglia a guardare il film

5 ☐ Ogni volta che vado a Parigi

6 ☐ Ma sei proprio pigro! Ogni quattro passi

a anche se muore di stanchezza.

b ti siedi su una panchina.

c salgo sulla torre Eiffel.

d rischi di cadere.

e ci sediamo a bere un caffè.

f questa conferenza è troppo lunga!

I pronomi diretti atoni

io	→	**mi**
tu	→	**ti**
lui/lei/Lei	→	**lo/la/La**
noi	→	**ci**
voi	→	**vi**
loro	→	**li/le**

Per la funzione e l'uso dei pronomi diretti vedere p. 21.

3 Completa le frasi con i pronomi diretti corrispondenti ai pronomi in parentesi.

Ieri (lui) _l'_ ho visto all'uscita di scuola.

1 La mamma (io) _____ sgrida quando torno a casa tardi.

2 Veniamo in stazione, così (tu) _____ salutiamo prima della tua partenza.

3 Sara e Maria? Non (loro) _____ conosco bene.

4 Stefano è davvero timido, non (noi) _____ guarda mai mentre parla.

5 Bruno ha ragione: non (lui) _____ chiami mai!

6 Vostra madre ha poco tempo, per questo non (voi) _____ porta mai al cinema.

7 Devo parlare con Rita: adesso (lei) _____ chiamo.

8 I tuoi amici sono davvero simpatici, (loro) _____ invito a casa mia.

4 Riscrivi le frasi usando i pronomi diretti.

Adoro i libri gialli. _Li adoro._

1 Accompagniamo voi a scuola.

_____

2 Seguo il corso di greco antico.

_____

3 Alessia saluta voi con affetto.

_____

4 Il papà aspetta noi davanti alla scuola.

_____

5 L'insegnante manda noi fuori dall'aula.

_____

6 Prendo l'aranciata dal frigorifero.

_____

─Buono a sapersi!─

─Buono a sapersi!─
I 'libri gialli' sono romanzi polizieschi.
I 'romanzi rosa', invece, sono storie d'amore.

Participi passati irregolari I

correre	→	**corso**
dire	→	**detto**
dirigere	→	**diretto**
mettere	→	**messo**
perdere	→	**perso**
prendere	→	**preso**
vedere	→	**visto**
vincere	→	**vinto**

5 Riscrivi le frasi al passato.

Vinco sempre ogni gara.
Ho vinto sempre ogni gara.

1 Corri ogni giorno per tenerti in forma.
_____

2 La mia squadra perde spesso le partite.
_____

3 Giorgio non dice mai bugie a sua madre.
_____

4 Mettete da parte i soldi per le vacanze?
_____

5 Prendiamo dei bei voti in matematica.
_____

6 Vedo i miei amici all'uscita di scuola.
_____

7 Riccardo Muti dirige l'orchestra della Scala.
_____

Le congiunzioni 'visto che' e 'dato che'

'Visto che' e 'dato che' indicano la causa per cui avviene un'azione.
Visto che/dato che *sono stanco, vado a dormire.*
sono stanco = causa   vado a dormire = azione

6 Scrivi sul quaderno le frasi con le congiunzioni 'visto che' e 'dato che', usando le cause e le azioni nei riquadri.

cause: ho fame ■ fa freddo ■ ho mal di denti ■ ho perso il treno ■ ho sete ■ piove ■ non mi sento bene

azioni: accendo il riscaldamento ■ bevo un succo di frutta ■ chiamo un taxi ■ mangio una mela ■ non faccio educazione fisica ■ prendo l'ombrello ■ vado dal dentista

Dato che ho fame, mangio una mela.

Il 'ci' locativo

Il 'ci' locativo è un pronome che sostituisce un luogo fisico o figurato. Accompagna un verbo che esprime movimento o stato in luogo.
*Da quanto tempo vivi **in Italia**? **Ci** vivo da sei anni.* (ci = in Italia)
*Come vai **a lezione**? **Ci** vado in autobus.* (ci = a lezione)

7 Rispondi alle domande con il 'ci' locativo.

Quando vai al mare? (sabato)
Ci vado sabato.

1 Quanto tempo rimani in palestra? (due ore)
_____

2 Con chi vai a teatro? (mio fratello)
_____

3 Come venite a scuola? (a piedi)
_____

4 Chi abita in questa casa? (la famiglia Ceci)
_____

5 Quando va in pensione Gigi? (fra tre mesi)
_____

6 Chi resta a casa con il bambino? (la zia)
_____

Leggere

1 **Leggi il volantino e rispondi alle domande.**

CORSI DI MINIVOLLEY

Se vuoi giocare con noi, puoi venire alla palestra della Scuola Media Statale Daniele Manin a Narni e chiedere informazioni all'allenatore nei seguenti orari: martedì e giovedì dalle ore 16.00 alle ore 18.00

Vieni in palestra a giocare con noi!

Iniziativa rivolta a bambini e bambine tra 7 e 13 anni.

Adesione e informazioni per il nuovo anno sportivo:
- puoi collegarti al sito della pallavolo di Narni: www.pallavolonarni.net e seguire le indicazioni presenti nell'area dedicata al minivolley;
- puoi scrivere direttamente una email al seguente indirizzo: info@pallavolonarni.net;
- puoi telefonare al seguente numero: 9471210.

Riceverai tutte le informazioni che desideri.

L'attività sportiva si svolge in orario pomeridiano nella palestra della Scuola Media Statale Daniele Manin in via Armellini 3 – Narni.

Pallavolo è crescere sani
Giocare in compagnia
Divertirsi nel rispetto delle regole

1 Quando è possibile trovare l'allenatore in palestra?

_____

2 Come puoi avere informazioni sui corsi?

Posso: a) _____ c) _____

b) _____ d) _____

3 Quanti anni devono avere i ragazzi per partecipare ai corsi di minivolley?

_____

4 Quando si svolgono i corsi?

_____

5 Dove si svolgono i corsi di minivolley?

_____

Parlare

2 **Nella tua scuola come è organizzato l'insegnamento dello sport?**

Ascoltare

3 (1·21) **Ascolta il dialogo e rispondi alle domande.**

1 Quale sport vuole fare Roberto?

2 Quale proposta fa Aurora a Roberto?

3 Quale sport pratica Aurora?

4 Aurora ha mai partecipato a delle gare?

5 Chi vuole fare sport agonistico?

Scrivere

4 Scrivi un volantino per invitare i compagni a partecipare a una gara sportiva scolastica.

Competenza linguistica

5 Completa il testo con le parole giuste.

La partita del secolo

Il 19 giugno 1970 è una (1) _____ indimenticabile nella storia del calcio: allo stadio Azteca di Città del Messico si (2) _____ una partita che per qualità, emozioni e sorprese è considerata la "madre di tutte le partite", la semifinale dei (3) _____ mondiali di calcio.

L'Italia non ha giocato molto bene nel girone di qualificazione, (4) _____ batte i padroni di casa nei quarti di finale (4-1) e si trova di fronte la (5) _____ Germania. Dopo 8 minuti scatenati da parte degli Azzurri, arriva il gol di Boninsegna. La gara continua con l'Italia in vantaggio ma, quando mancano pochi secondi alla fine, ecco che arriva il pareggio tedesco. È qui che la partita non è più soltanto uno spettacolo sportivo ma diventa leggenda. Nei tempi supplementari (6) _____ atleti di tutte e due le (7) _____ fanno miracoli, però alla fine è l'Italia che vince 4-3. Gli Azzurri (8) _____ vinto la gara, ma l'onore è anche per i tedeschi, che hanno dato (9) _____ campo grande prova di coraggio e orgoglio. Se andate in Messico, fate un salto allo stadio di Città del Messico per (10) _____ la grande lapide di marmo che ricorda 'la partita del secolo'.

1 **a** data	**b** bella	**c** squadra	
2 **a** dorme	**b** salta	**c** gioca	
3 **a** campionati	**b** gare	**c** squadre	
4 **a** ma	**b** così così	**c** quale	
5 **a** fortissima	**b** bellissima	**c** vincitrice	

6 **a** i	**b** gli	**c** le
7 **a** nazionali	**b** cittadine	**c** italiane
8 **a** hanno	**b** sono	**c** ha
9 **a** sulla	**b** sul	**c** sullo
10 **a** mangiare	**b** dormire	**c** vedere

Gli italiani e lo sport

Lo sport in Italia è molto diffuso, soprattutto tra i giovani; in tutte le scuole ci sono almeno due ore di educazione fisica alla settimana, molti ragazzi però praticano sport anche nel tempo libero, presso società o associazioni sportive private.

Giornali

In Italia ci sono ben tre quotidiani nazionali dedicati esclusivamente allo sport: "La Gazzetta dello Sport", facilmente riconoscibile perché stampata su carta rosa, "Il Corriere dello Sport" e "Tuttosport", oltre a moltissime rubriche televisive o interi canali e siti internet, dedicati esclusivamente allo sport.

Il ciclismo

Gli italiani non seguono solo il calcio, molto amato è anche il ciclismo: la gara più importante è il Giro d'Italia, una corsa a tappe che ogni anno, tra la fine di maggio e i primi giorni di giugno, attraversa tutta la penisola. A questa competizione partecipano non solo atleti italiani, ma anche ciclisti da tutto il mondo. L'organizzatore del Giro è "La Gazzetta dello Sport" e la maglia del vincitore del Giro è rosa come le pagine di questo giornale.

L'automobilismo

Un'altra passione degli italiani è l'automobilismo: in molti seguono con interesse il campionato mondiale di Formula Uno e tifano per le Ferrari, dette le 'rosse', di Maranello, la piccola città in provincia di Modena, dove costruiscono queste famose macchine.

Altri sport

Sono infine popolari, soprattutto tra i giovani, anche lo sci, la pallacanestro, la pallavolo e il tennis. Gli atleti italiani, chiamati Azzurri per il colore dell'uniforme, ottengono generalmente buoni risultati in campo internazionale, non solo nel calcio, ma anche nel nuoto e nella pallanuoto, nella scherma, nell'atletica leggera, nell'equitazione, nel canottaggio e nel pattinaggio, anche in occasione delle Olimpiadi.

Atlete della Nazionale italiana femminile di scherma

Rispondi alle domande.

1 Quali sono gli sport più popolari in Italia?
2 Quali sono gli sport più popolari nel tuo Paese?
3 Nel tuo Paese ci sono quotidiani nazionali dedicati allo sport? Quali?
4 Come sono chiamati gli atleti nazionali italiani?
5 Gli atleti del tuo Paese hanno un nome? Quale? Da cosa deriva?

FILMATO DAL WEB

CLICCA E GUARDA

Un'intervista televisiva a Valentino Rossi, campione mondiale di motociclismo.

www.elionline.com/amiciditalia

1 (1-22) **Ascolta e leggi.**

Matilde: Allora, come è andata ieri? Lo so che sei uscita con Rafael...

Alice: Sì, è vero: ieri pomeriggio sono andata al cinema con Rafael.

Matilde: Dai, racconta!

Alice: E cosa devo raccontare? Io sono arrivata, dopo due minuti è arrivato anche lui, siamo entrati in sala e abbiamo visto il film.

Matilde: Che film avete visto?

Alice: La versione 3D di *Guerre stellari*. Adoro i film di fantascienza e ho scoperto che piacciono anche a Rafael.

Matilde: Tutto qui?

Alice: Rafael è stato veramente gentile: ha pagato lui i biglietti. Allora io ho comprato i popcorn. Il film è stato davvero spettacolare!

Matilde: L'ho visto anch'io ma non mi è piaciuto. I film di fantascienza sono un po' noiosi... Preferisco le commedie o gli horror pieni di fantasmi. E dopo il cinema cosa avete fatto?

Alice: Niente, lo spettacolo è finito alle 20 e dopo il film siamo rimasti un po' in centro, abbiamo bevuto un frullato e quindi siamo tornati a casa per cena. Hai finito l'interrogatorio?

Matilde: Sì, sì... E adesso che programmi avete? Quand'è il prossimo appuntamento?

Alice: Giovedì. Rafael ha saputo che hanno aperto una mostra su *Star Trek* e vuole che ci andiamo insieme: pensa, hanno ricostruito la sala di comando dell'astronave e fanno anche le simulazioni di volo. Non vedo l'ora di andarci... (*il cellulare squilla*) Oh, guarda che coincidenza, è proprio lui... Ti saluto, ciao!

Matilde: Certo, certo... ciao!

2 **Rispondi alle domande.**

1 Dove è andata ieri Alice?

_____

2 Che film hanno visto i ragazzi?

_____

3 Quale passione hanno in comune Rafael e Alice?

_____

4 Chi ha comprato i biglietti e chi ha comprato i popcorn?

_____

5 Quale genere di film preferisce Matilde?

_____

6 Cosa hanno fatto Alice e Rafael dopo lo spettacolo?

_____

7 Che programma hanno Rafael e Alice per giovedì?

_____

8 Il cellulare di Alice squilla: chi la sta chiamando?

_____

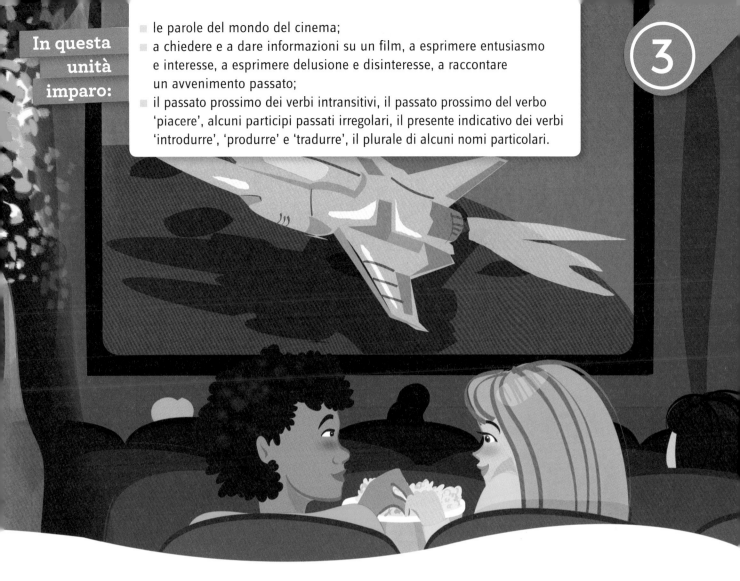

In questa unità imparo:

- le parole del mondo del cinema;
- a chiedere e a dare informazioni su un film, a esprimere entusiasmo e interesse, a esprimere delusione e disinteresse, a raccontare un avvenimento passato;
- il passato prossimo dei verbi intransitivi, il passato prossimo del verbo 'piacere', alcuni participi passati irregolari, il presente indicativo dei verbi 'introdurre', 'produrre' e 'tradurre', il plurale di alcuni nomi particolari.

3 Cosa ha fatto ieri Alice? Rileggi il dialogo e completa il riassunto.

Ieri Alice (1) _____ con Rafael, (2) _____ al cinema.
Alice (3) _____ prima, Rafael due minuti dopo. Lui (4) _____ biglietti, lei invece (5) _____ i popcorn. Insieme (6) _____ in sala e (7) _____ il film.
Dopo lo spettacolo, (8) _____ in centro, (9) _____ un frullato e (10) _____ a casa per cena.

ADESSO TOCCA A TE!

Spazio, ultima frontiera. Questi sono i viaggi della nave stellare Enterprise. La sua missione è di esplorare nuovi strani mondi, alla ricerca di nuove forme di vita e di nuove civiltà, per arrivare dove nessuno è mai giunto prima.

STAR TREK
THE FUTURE BEGINS

IN THEATRES AND FOR A LIMITED TIME IN **IMAX**

4 Rispondi alle domande.

1 Vai spesso al cinema?
2 Ti piacciono i film di fantascienza?
3 Se sì, qual è il tuo preferito?
4 Se no, quali generi ti piacciono?

Il cinema

1 (1-23) **Abbina le lettere alle parole. Dopo ascolta e controlla.**

1 ☐ la locandina
2 ☐ il botteghino
3 ☐ la poltrona
4 ☐ la sala

5 ☐ lo schermo
6 ☐ lo spettatore
7 ☐ l'uscita di sicurezza
8 ☐ il biglietto

2 (1-24) **Abbina il genere alla sua definizione. Dopo ascolta e controlla.**

a ☐ horror
b ☐ poliziesco
c ☐ cartoni animati
d ☐ sentimentale
e ☐ fantascienza
f ☐ musical
g ☐ commedia
h ☐ drammatico
i ☐ avventura
l ☐ storico

1 Ci sono musiche e canzoni.
2 Fa molta paura.
3 Racconta situazioni tragiche e dolorose.
4 Fa ridere.
5 Si viaggia indietro nel tempo.
6 C'è molta azione.
7 È una storia fantastica basata su scienza o tecnologia.
8 Racconta un'indagine su un crimine.
9 I personaggi sono disegnati.
10 Si parla di sentimenti.

3 Leggi il testo e completa la scheda.

Il film diretto dal regista Giuseppe Piccioni, intitolato *Il rosso e il blu*, è tratto da un romanzo di Marco Lodoli. Racconta alcune storie che si svolgono in una scuola di Roma: un vecchio professore di storia dell'arte (Roberto Herlitzka) non più motivato a insegnare; un giovane supplente (Riccardo Scamarcio) al suo primo incarico e pieno di entusiasmo e di passione; una preside severa (Margherita Buy) che deve occuparsi di un ragazzo di 14 anni apparentemente senza madre. Le musiche della colonna sonora sono di Ratchev & Carratello.

Titolo: _____

Regia: _____

Sceneggiatura: Giuseppe Piccioni, Francesca Manieri

Produttore: Donatella Botti (Bianca Film)

Scenografia: Ludovica Ferrario

Fotografia: Roberto Cimatti

Costumi: Loredana Buscemi

Montaggio: Esmeralda Calabria

Interpreti: _____

_____

Musiche: _____

ADESSO TOCCA A TE!

4 Osserva la locandina del film *Il rosso e il blu*. Secondo te che genere di film è? Motiva la tua risposta.

5 Risolvi il cruciverba usando le parole nel riquadro.

compositore ▪ costumista ▪ interprete ▪ montatore ▪ produttore ▪ regista ▪ sceneggiatore ▪ scenografo

ORIZZONTALI

5 Scrive le musiche dei film.

6 Disegna o realizza le scene.

7 Attore che recita nel film.

8 Paga le spese del film e lo promuove.

VERTICALI

1 Scrive testi per il cinema.

2 Dirige un film.

3 Si occupa degli abiti di scena.

4 Tecnico che taglia e incolla le varie parti del film.

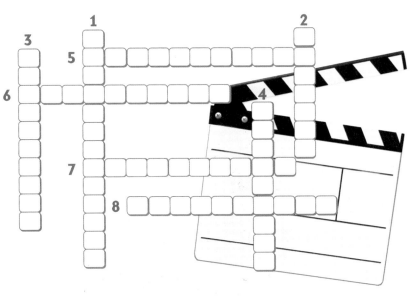

Chiedere e dare informazioni su un film

1 (1-25) Ascolta e ripeti.

Come si intitola il film? *Mediterraneo.*

Che genere è? È una commedia.

Chi è il regista?

Chi l'ha diretto? Gabriele Salvatores.

Chi sono gli interpreti? Chi recita nel film?

Gli interpreti sono Diego Abatantuono, Claudio Bigagli e Giuseppe Cederna.

Di chi è la colonna sonora?

È di Giancarlo Bigazzi e Marco Falagiani.

2 In coppia. Fate domande su questo film, seguendo i modelli dell'esercizio 1.

Esprimere entusiasmo e interesse

3 (1-26) Ascolta e ripeti.

- Voglio vederlo assolutamente!
- Mi interessa molto.
- Lo trovo molto interessante!
- Spettacolare!
- Che meraviglia!
- Da non perdere!
- Sono proprio curioso.
- Eccezionale!
- Mi è piaciuto un sacco!
- Lo adoro!

4 In coppia. Parla con un compagno degli ultimi film che ti sono piaciuti e di quelli che vuoi vedere.

Esprimere delusione e disinteresse

5 (1-27) Ascolta e ripeti.

- Tutto qui?
- L'ho trovato noioso.
- Non è niente di speciale!
- Che delusione!
- Non mi interessa per niente!
- Non fa per me.
- Non è il mio genere.
- Insomma... non è un granché.
- Non mi è piaciuto proprio!
- Non sono per niente soddisfatto!

6 Guarda le locandine ed esprimi le tue opinioni su questi eventi.

Mostra fotografica sui gatti

I nostri amici come non li avete mai visti

1

Concerto RAP

Palasport
15 settembre
Padova
ore 21.30

2

Innamorati

Il film sentimentale dell'anno! ♥

3

Film Horror

HALLOWEEN

4

LIRE 100
POSTE

CONFERENZA

La storia del francobollo

5

MONDIALI DI CALCIO

FINALE

6

Raccontare un avvenimento passato

7 (1-28) Ascolta e ripeti.

> Allora, cosa hai fatto ieri?

> Prima ho fatto i compiti. Poi ho visto un film poliziesco. Infine, sono andato a letto.

ADESSO TOCCA A TE!

9 Racconta cosa hai fatto lo scorso fine settimana.

8 In coppia. Guarda il disegno e racconta cosa hanno fatto ieri Lara e Stefano.

Passato prossimo II

Verbi intransitivi

Alcuni verbi formano il passato prossimo con l'ausiliare 'essere'. Questi verbi, che si chiamano 'intransitivi', indicano in genere:

- movimento da un punto a un altro, come **uscire, entrare, andare, venire, tornare, partire, arrivare;**
- assenza di movimento, come **essere, rimanere, stare, restare;**
- un cambiamento di stato, come **nascere, diventare, crescere, morire, arrossire.**

*Marco **è** andato al cinema.*
*Ieri sera **sono** restata a casa.*

Il participio dei verbi che hanno l'ausiliare 'essere' si accorda con il soggetto per genere (maschile o femminile) e numero (singolare o plurale). In caso di un soggetto plurale misto il participio è maschile.

***Rafael e Alice** sono andat**i** al cinema.*
***Sonia** è partit**a** per il mare.*
***Gli studenti** sono rimast**i** in biblioteca.*
***Le mie amiche** sono stat**e** in vacanza.*

1 Completa le frasi con il verbo.

1 Il gatto (andare) _____ in giardino.

2 I turisti (partire) _____ per il mare.

3 La mamma (arrivare) _____ alle sei.

4 Gloria e Maria (tornare) _____ a casa.

5 I bambini (entrare) _____ in gelateria.

2 Scegli la forma corretta.

1 ☐ Ieri Sara è andato a teatro.
  ☐ Ieri Sara è andata a teatro.

2 ☐ Il film è stato bello.
  ☐ Il film ha stato bello.

3 ☐ Giorgio e Carla sono uscito.
  ☐ Giorgio e Carla sono usciti.

4 ☐ Patrizia ha lavorato molto.
  ☐ Patrizia ha lavorata molto.

5 ☐ I miei genitori sono partiti per Pisa.
  ☐ I miei genitori hanno partiti per Pisa.

Participi passati irregolari II

aprire	→	**aperto**
bere	→	**bevuto**
chiudere	→	**chiuso**
essere	→	**stato**
leggere	→	**letto**
morire	→	**morto**
nascere	→	**nato**
rimanere	→	**rimasto**
scoprire	→	**scoperto**
scrivere	→	**scritto**
venire	→	**venuto**

3 Cosa hanno fatto queste persone? Scrivi delle frasi complete con i verbi indicati.

1 nascere

uscire

_____

3 scrivere

_____

4 essere

_____

5 rimanere

6 bere

_____

Passato prossimo di 'piacere'

> Il verbo 'piacere' forma il passato con l'ausiliare 'essere'; il participio passato prende una 'i' davanti alla desinenza.
>
> *La commedia mi è piaciuta molto.*
> *Mi sono piaciute molto le musiche del film.*

4 **Completa le frasi con il verbo 'piacere'.**

Ieri ho visto un film storico...

1 _____ abbastanza;

2 le musiche _____ moltissimo;

3 gli attori non _____ molto;

4 i costumi _____ tantissimo;

5 la storia _____ da morire;

6 il finale non _____ per niente.

Presente indicativo dei verbi 'introdurre', 'produrre' e 'tradurre'

	Introdurre	Produrre	Tradurre
io	introduco	produco	traduco
tu	introduci	produci	traduci
lui/lei	introduce	produce	traduce
noi	introduciamo	produciamo	traduciamo
voi	introducete	producete	traducete
loro	introducono	producono	traducono

5 **Completa le frasi con i verbi 'introdurre', 'produrre' e 'tradurre'.**

1 La nostra guida al museo _____ le informazioni in quattro lingue.

2 Oggi il professore di storia _____ un nuovo argomento.

3 Voi _____ la poesia dall'italiano all'inglese.

4 Queste fabbriche _____ pasta e biscotti.

5 Perché (tu) non _____ questa frase in italiano?

6 Noi in Puglia _____ un olio di oliva buonissimo.

Nomi particolari

Singolare	Plurale
il fantasma	i fantasmi
il pigiama	i pigiami
il poema	i poemi
il problema	i problemi
il programma	i programmi
il sistema	i sistemi
il tema	i temi
il teorema	i teoremi

> Molti nomi che al singolare terminano in -ma sono maschili e hanno il plurale in -mi.

Attenzione! !

La parola 'cinema' al plurale è invariabile: i cinema.

6 **Trasforma le frasi al plurale.**

1 Il pigiama è pulito.

_____

2 Lo studente risolve il problema.

_____

3 Studiamo il teorema di matematica.

_____

4 Il sistema operativo del computer è veloce.

_____

5 Il tema di questa conferenza è interessante.

_____

6 In questa casa abbandonata c'è un fantasma.

_____

Leggere

1 Leggi le trame di questi film e scrivi che genere sono.

[A] Capitan Basilico

Racconta la storia di un supereroe che vive in Liguria e aiuta sempre le persone in difficoltà. Tutti lo amano ma c'è anche chi è geloso di lui: Regina, la sua bella e vendicativa ex-fidanzata, che fa tutto il possibile per rovinare l'immagine di Capitan Basilico. La ragazza, una supereroina anche lei, ruba alcuni famosi monumenti e rapisce anche il suo ex-fidanzato ma alla fine, grazie all'intervento della polizia, la città e il supereroe sono salvi.

Genere: _____

[B] N (Io e Napoleone)

È la storia dell'esilio di Napoleone all'isola d'Elba, in Toscana. Il protagonista è però il bibliotecario del generale, Martino, che ha un forte spirito antifrancese e vorrebbe uccidere Napoleone. L'incontro fra i due, però, cambia completamente l'atteggiamento di Martino che, alla fine, salva la vita di Napoleone da un attentato.

Genere: _____

[C] Il nascondiglio

Siamo in America negli anni Cinquanta: in una lussuosa casa di riposo per anziani muoiono tre persone in circostanze misteriose. Cinquant'anni dopo, un'affascinante signora affitta la casa e la trasforma in un ristorante. Poco dopo, però, comincia a sentire strani rumori provocati dai fantasmi delle tre donne morte molti anni prima.

Genere: _____

Adesso indica in quale film:

1 il protagonista cambia idea su un personaggio importante. ☐
2 una persona è gelosa. ☐
3 un evento del passato ha riflessi nel presente. ☐
4 la storia non si svolge in Italia. ☐

Ascoltare

2 (1-29) Ascolta la biografia di Monica Bellucci e completa le frasi.

1 Monica Bellucci è un' _____ famosa in tutto il mondo.

2 Per pagare gli studi all'università ha iniziato a lavorare

_____.

3 Nel cinema ha lavorato con molti _____.

4 _____ dal 1999 con Vincent Cassel.

5 Occasionalmente lavora _____.

6 È molto gelosa della _____.

7 Passa il suo tempo libero _____.

Parlare

3 Tu e un amico volete andare al cinema questa sera. Guarda la programmazione dei film e discuti con lui per decidere quale film vedere.

HORROR   PROGRAMMAZIONE   POLIZIESCHI   SENTIMENTALI   COMMEDIE

Vita di Pi

CINEMA ODEON

CINEMA LUX

CINESTUDIO

Cinema multisala Odeon

sala 1 **Vita di Pi**
(16.15 – 18.15 – 20.15 – 22.15)
azione

sala 2 **L'era glaciale 4**
(16.00 – 18.00 – 20.00 – 22.00)
cartoni animati

sala 3 **Tutti i santi giorni**
(16.30 – 18.30 – 20.30 – 22.30)
commedia

sala 4 **5 (Cinque)**
(15.30 – 17.30 – 19.30 – 21.30)
poliziesco

Cinema Lux

sala 1 **Avatar 3D**
(15.45 – 17.45 – 19.45 – 21.45)
fantascienza

sala 2 **La cosa**
(16.30 – 18.30 – 20.30 – 22.30) horror

Cinestudio

sala 1 **300**
(15.15 – 17.15 – 19.15 – 21.15)
storico

sala 2 **Balla con noi**
(16.00 – 18.00 – 20.00 – 22.00)
musical

sala 3 **Io e te**
(15.30 – 17.30 – 19.30 – 21.30)
drammatico

Scrivere

4 Hai passato una bella giornata in centro con gli amici: racconta cosa avete fatto.

Il cinema italiano

La dolce vita e *Amarcord*, di Federico Fellini

Gli inizi

Il primo film italiano a soggetto, cioè girato per raccontare una storia, è *La presa di Roma*, del 1905, ovviamente muto e in bianco e nero; dura solo una decina di minuti e racconta l'entrata dell'esercito italiano a Roma nel 1870.

La stagione neorealista

La stagione neorealista è piuttosto breve, circa dodici anni dal 1943 al 1955, ma è molto importante perché in Italia si producono grandi capolavori, famosi ancora oggi in tutto il mondo.

I grandi registi di questo filone, De Sica, Rossellini, Visconti, raccontano storie di persone semplici e povere e delle loro famiglie, alla ricerca di migliori condizioni di vita nell'Italia uscita dalla guerra.

Riso amaro, di Giuseppe De Santis

La commedia all'italiana

A metà degli anni Cinquanta in Italia nasce un genere di commedia brillante ma che ha contenuti profondi e seri: in questi film infatti le situazioni comiche tipiche della commedia nascono dall'ironia e dalla satira sulla società italiana di quel periodo.
Uno degli attori simbolo di questo periodo è Alberto Sordi.

Alberto Sordi
Un americano a Ron

Federico Fellini

È considerato uno dei registi più importanti e influenti nella storia del cinema. Nella sua lunga carriera ha girato molti film che hanno ispirato la produzione cinematografica mondiale come *La strada*, *Le notti di Cabiria*, *8 e mezzo*, *Amarcord* e *La dolce vita*. Ha vinto moltissimi premi, fra cui cinque Oscar.

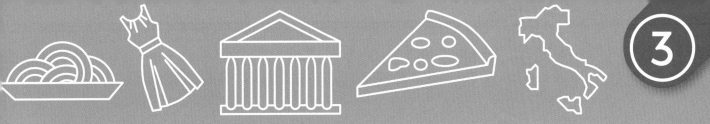

Sophia Loren

È forse l'attrice italiana più famosa nel mondo. Nella sua lunga carriera
è stata protagonista di moltissimi film di successo come *La ciociara*,
Matrimonio all'italiana, *Pane, amore e...* Ha vinto due premi Oscar e ha
lavorato a lungo a Hollywood a fianco di grandi star. È stata per decenni
il simbolo della bellezza mediterranea.

La Mostra internazionale del cinema di Venezia

Si svolge ogni anno tra la fine di agosto e gli inizi di settembre ed è il festival
cinematografico più antico del mondo; la prima edizione risale al 1932.
Partecipano film provenienti dai cinque continenti e il migliore vince il Leone
d'oro, un prestigioso premio considerato dalla critica uno dei più importanti
nella cinematografia.

Cinecittà

È la città del cinema, un grande complesso di teatri di posa dove si girano film
o produzioni televisive. Si trova a Roma ed è uno dei più grandi del mondo.
Dal 1937, anno di inaugurazione degli studi, registi di fama mondiale, italiani
e stranieri, hanno girato qui più di 3000 film, di cui 47 hanno vinto l'Oscar.

Sophia Loren

Completa le frasi.

1 Il primo film italiano girato nel 1905 è un film
   ☐ storico.   ☐ comico.

2 I film del periodo neorealista raccontano storie
   ☐ di grandi registi.
   ☐ di famiglie povere e umili.

3 I film della commedia all'italiana sono
   ☐ molto seri.
   ☐ comici ma con un messaggio serio.

4 Federico Fellini
   ☐ ha vinto cinque Oscar.
   ☐ ha avuto una carriera breve.

5 Sophia Loren
   ☐ ha lavorato solo in film italiani.
   ☐ è stata un simbolo di bellezza.

6 Il Leone d'oro
   ☐ è un premio per il migliore film.
   ☐ è un festival cinematografico.

FILMATO DAL WEB

CLICCA E GUARDA

Un gruppo di giovanissimi giornalisti intervista le stelle
del cinema al Festival di Venezia.

www.elionline.com/amiciditalia

1 Completa le frasi con il verbo all'imperativo.

1 Sergio, (spegnere) _____ la TV e (venire) _____ immediatamente a tavola.

2 Non (bere, voi) _____ l'acqua troppo fredda, vi fa male.

3 Marco, non (fare) _____ capricci e (ascoltare) _____ quello che dico.

4 Per andare a piazza Dante, (prendere, noi) _____ il tram, non la metro!

5 Signor Sabatini, (bere) _____ il caffè e poi (venire) _____ nel mio ufficio.

6 (Finire, tu) _____ subito i compiti e non (perdere) _____ tempo con i videogiochi.

7 Ci siamo persi: (fermare, tu) _____ l'auto e (chiedere, noi) _____ informazioni.

8 I professori non (andare) _____ in classe ma (scendere) _____ subito in direzione.

Punti 14

2 Completa le frasi con i pronomi diretti atoni.

1 Esco con le mie cugine, _____ incontro in centro.

2 Non studi mai, per questo la mamma _____ rimprovera.

3 Martino adora i film polizieschi, _____ guarda sempre.

4 Ragazzi, se volete, _____ aiuto a fare i compiti.

5 I ragazzi amano la storia, _____ studiano con interesse.

6 Preparo il tè e _____ offro ai miei amici.

7 Sto parlando con voi ma non _____ ascoltate.

8 Papà, vogliamo andare al cinema, _____ accompagni con la macchina?

Punti 8

3 Risolvi gli anagrammi di queste parole che indicano parti del corpo e dopo trasformale al plurale.

1 OGNCIHCOI _____ _____

2 NEFTOR _____ _____

3 CICOHO _____ _____

4 BALBOR _____ _____

5 OTIOMG _____ _____

6 RCOBAIC _____ _____

7 HCIOERCO _____ _____

8 CALOGOSIRICP _____ _____

Punti 16

4 Completa le frasi al presente con i verbi nel riquadro. Attenzione, alcuni verbi si usano due volte.

> introdurre ■ morire ■ produrre ■ salire
> ■ sedersi ■ tradurre

1 Le segretarie _____ le lettere dal tedesco all'italiano.

2 Sono stanco: _____ un po' sul divano.

3 Conosco la casa cinematografica che _____ quel film.

4 Voglio mangiare subito perché _____ di fame.

5 Luca e Sara _____ sul tram per il centro.

6 Per prendere il caffè dalla macchinetta (voi) _____ 60 centesimi.

7 In classe (noi) _____ spesso testi latini.

8 Simone _____ dalla curiosità di vedere il nuovo film di Benigni.

Punti 8

5 Scrivi il participio passato dei verbi.

1 aprire _____

2 bere _____

3 correre _____

4 dire _____

5 leggere _____

6 mettere _____

7 morire _____

8 nascere _____

9 perdere _____

10 vedere _____

Punti 10

6 Trasforma i verbi dal presente al passato prossimo.

1 Luisa va in palestra a fare ginnastica.

_____

2 Scrivi un messaggio di auguri a Mauro?

_____

3 Questo pomeriggio Irene e Lidia sono in ufficio.

_____

4 Vinciamo sempre le partite contro la 5ª A.

_____

5 Simone chiude il suo bar alle 20.

_____

6 Domenica vengono a casa i miei amici.

_____

7 Fino a che ora rimanete in biblioteca?

_____

8 Lo scienziato scopre una nuova formula chimica.

_____

9 Ti piace questa mostra su *Star Trek*?

_____

10 I ragazzi fanno una gara al campo di atletica.

_____

Punti 10

7 Completa le frasi con il plurale delle parole nel riquadro.

> fantasma ▪ pigiama ▪ poema ▪ problema
> ▪ programma ▪ teorema

1 L'insegnante ha spiegato agli studenti molti _____ di geometria.

2 I _____ a righe sono sempre di moda.

3 Non riusciamo a risolvere questi _____ di matematica.

4 In questo castello ci sono i _____.

5 Omero ha scritto due _____ epici.

6 La domenica in TV ci sono sempre i _____ sul calcio.

Punti 6

8 Trova l'intruso.

1 quinto - sedicesimo - otto - terzo

2 naso - bocca - dito - scarpa

3 correre - bere - saltare - nuotare

4 allenatore - produttore - attore - sceneggiatore

5 semaforo - locandina - via - parco

6 commedia - horror - poliziesco - poema

7 campeggio - pattinaggio - canottaggio - scherma

8 schermo - radio - locandina - botteghino

Punti 8

Calcola il punteggio totale e verifica con l'insegnante.

Punti .... **/ 80**

1 (1-30) Ascolta e leggi.

Teo: Che fame! Cosa mangiamo a merenda?

Mamma: Prendi una fetta di torta di mele.

Alice: Perché non prepariamo un budino al cioccolato?

Teo: No dai, prepariamo le frittelle, sono più buone del budino!

Mamma: Va bene, ma non so se abbiamo tutti gli ingredienti. Vediamo la ricetta: latte, burro, due uova, zucchero, farina e un po' di scorza di limone.

Alice: In frigo ci sono le uova e il burro, ma mancano i limoni e la farina!

Mamma: Allora Teo, va' a comprarne un pacco al negozio di alimentari, se vuoi le frittelle; poi passa anche dal fruttivendolo e prendi un paio di limoni.

Teo: No, ma... forse possiamo fare il budino...

Alice: Sei il solito pigro! Dai, i negozi sono qui sotto casa, in cinque minuti vai e torni! Io e la mamma intanto cominciamo a preparare l'impasto.

Teo: Uff... sempre a me i compiti noiosi!

Mamma: Ma poi ricevi in premio le frittelle!

Teo: E va bene, però ne voglio una porzione gigante! E sopra ci metto anche la crema al cioccolato!

Alice: Mamma mia, Teo! Sei tanto pigro quanto goloso!

Dal fruttivendolo

Fruttivendolo: Ciao Teo, posso aiutarti?

Teo: Vorrei dei limoni, per favore.

Fruttivendolo: Ecco, così va bene?

Teo: No, sono troppi, ne prendo solo due, grazie. Quant'è?

Fruttivendolo: Sono ottanta centesimi. Li hai spicci? Non ho il resto...

2 Scegli la frase corretta.

1   a ☐ Teo vuole fare merenda.
    b ☐ Teo ha fatto merenda.

2   a ☐ La mamma fa la torta di mele.
    b ☐ La mamma offre la torta di mele.

3   a ☐ Teo preferisce le frittelle.
    b ☐ Teo preferisce il budino.

4   a ☐ In casa ci sono tutti gli ingredienti per le frittelle.
    b ☐ Manca qualche ingrediente per le frittelle.

5   a ☐ I negozi sono vicino casa.
    b ☐ I negozi sono lontani da casa.

6   a ☐ Teo compra troppi limoni.
    b ☐ Teo compra due limoni.

In questa unità imparo:
- i prodotti alimentari e i negozi, le quantità;
- a esprimere le quantità, a chiedere e a dire come si paga, a fare la spesa;
- la preposizione 'da' + persona, i comparativi, il partitivo 'ne', alcuni participi passati irregolari.

4

ZUCCHERO

LATTE

MARMELLATA DI FRAGOLE

BURRO

FORMAGGIO

UOVA

3 **Rileggi il dialogo e completa le frasi.**

1 Le frittelle sono più buone _____.

2 La mamma non sa se _____.

3 In frigo ci sono _____ e il burro.

4 Teo ama le frittelle, _____ una porzione gigante.

5 Sulle frittelle Teo mette anche _____.

6 Teo va _____ a comprare i limoni.

ADESSO TOCCA A TE!

5 **Rispondi alle domande.**

1 Quali dolci ti piacciono di più?

2 Sai preparare qualche dolce? Quale?

3 Preferisci merende dolci o salate?

4 **Trova i sei ingredienti per le frittelle.**

A	P	A	N	L	A	F	O
C	A	R	O	I	S	R	R
A	N	B	C	M	F	U	L
F	N	U	T	O	R	T	A
F	A	R	I	N	A	T	T
E	R	R	O	I	G	A	T
T	U	O	V	A	O	M	E
C	R	E	M	A	L	O	E
Z	U	C	C	H	E	R	O

Le frittelle

I prodotti e i negozi

1 Dove compri queste cose? Scrivi i nomi di questi prodotti sotto al negozio giusto.

| Pasticceria | Alimentari 2 | Frutta e Verdura 3 | Panetteria 4 | Pescheria 5 |

1 _____ 2 _____ 3 _____ 4 _____ 5 _____

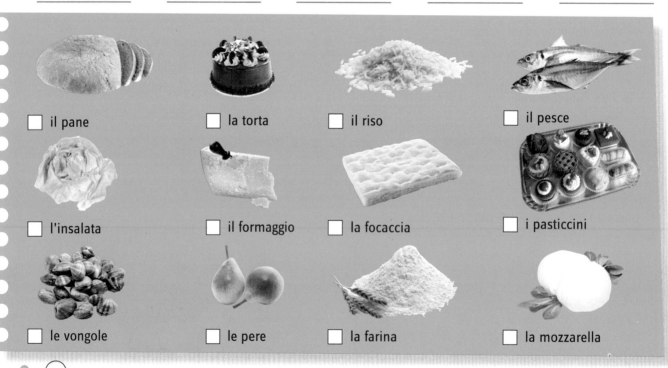

☐ il pane   ☐ la torta   ☐ il riso   ☐ il pesce

☐ l'insalata   ☐ il formaggio   ☐ la focaccia   ☐ i pasticcini

☐ le vongole   ☐ le pere   ☐ la farina   ☐ la mozzarella

2 (1-31) Ascolta le frasi e completa con i nomi dei negozianti.

1 Compro i dolci _____.

2 Abbiamo preso i limoni _____.

3 Vado _____ a prendere il pane.

4 _____ al parco vende anche le granite.

5 _____ vende anche i frutti di mare.

6 Prendo sempre il latte _____ all'angolo.

Le quantità

3 (1-32) Completa le descrizioni con le parole nel riquadro. Dopo ascolta e controlla.

una bottiglia ▪ una confezione ▪ un chilo ▪ un litro ▪ un tubetto ▪ un pacco ▪ una lattina ▪ un barattolo ▪ un cestino ▪ una fetta ▪ un pezzo ▪ dei vasetti

1

di marmellata

2

di zucchero

3

di yogurt

4

di olio di oliva

5

di pizza

6

di mele

7

di aranciata

8

di latte

9

di fragole

10

di torta

11

di maionese

12

di uova

Buono a sapersi!

Quando facciamo la spesa, per indicare 100 grammi usiamo la parola 'etto': 200 grammi = 2 etti.

4 Guarda il carrello della spesa della mamma di Alice e scrivi cosa ha comprato.

Esprimere delle quantità

1 (1-33) **Ascolta e ripeti.**

A Quanto ne vuoi?

B Ne voglio un chilo.

A Quanto ne faccio?

B Due etti, grazie.

A Così va bene?

B No, ne metta ancora un po'.

2 **In coppia. Guardate le foto e fate dei dialoghi.**

> Vorrei un po' di arance.
>
> Quante ne vuole?
>
> Un chilo.

1 Un litro di aranciata

2 Un sacchetto di mele

3 Un pezzo di pizza

4 Una fetta di formaggio

5 Due bottiglie d'acqua

6 Un chilo di arance

7 Una scatola di cioccolatini

8 Tre etti di arachidi

Chiedere e dire come si paga

3 (1-34) **Ascolta e ripeti.**

1 Carta di credito

2 Bancomat

3 Assegno

4 Contanti

> Paga in contanti?
>
> No, con il bancomat, se è possibile.
>
> Come paga?
>
> Con la carta di credito.
>
> Se vuole può pagare con assegno.
>
> Grazie, preferisco pagare in contanti.

4 **Guarda i disegni e scrivi i dialoghi.**

1

A _____

B _____

2

A _____

B _____

3

A _____

B _____

4

A _____

B _____

Fare la spesa

5 (1-35) **Ascolta e ripeti.**

Buongiorno, cosa desidera?

Un chilo di pomodori, per favore.

Ciao, posso aiutarti?

Sì, grazie, vorrei un chilo di pomodori.

Ecco a Lei. Altro?

Sì, un pacco di farina.

No grazie, basta così.

È tutto?

Sì, è tutto, grazie.

No, vorrei anche un tubetto di maionese.

6 In coppia. Guardate i disegni e immaginate i dialoghi.

7 Rimetti in ordine il dialogo.

[ ] Sì, vorrei una bottiglia di olio di oliva.

[ ] Ecco a Lei. Serve altro?

[ ] Pago con il bancomat, va bene?

[1] Buongiorno signora, desidera?

[ ] Sì, da un litro.

[ ] Un euro e sessanta al chilo.

[ ] Sì, grazie. Quant'è in tutto?

[ ] Allora ne prendo due chili. Devo fare la torta!

[ ] Otto euro e cinquanta.

[2] Quanto vengono le mele?

[ ] Certo signora, va benissimo.

[ ] Questo è l'olio migliore che abbiamo, viene dalla Puglia. Basta così?

[ ] Da un litro?

ADESSO TOCCA A TE!

8 Sei al negozio di alimentari per comprare questi prodotti e vuoi pagare con il bancomat. Immagina il dialogo con il commerciante.

Macine € 2,50

€ 2,60

pezzi € 2,00

LATTE € 0,80

Preposizione 'da' + persona

Vado	da Gabriele
	dal dottore
	dall'estetista
	dallo psicologo
	dalla fruttivendola
	dai nonni
	dagli amici
	dalle zie

Quando siamo o andiamo a casa di una persona o nel suo luogo di lavoro, si usa la preposizione **da** (+ articolo).

1 Completa le frasi con 'da' o 'da' + articolo.

1 Passo l'estate in campagna _____ zii.

2 Domani sera ceniamo tutti _____ Rossella.

3 Porto il mio cane _____ veterinario.

4 Marcello non è a casa, è _____ vicini.

5 Questo fine settimana dormo _____ mie cugine.

6 Vado _____ Giorgio a fare i compiti.

7 Vado _____ istruttore a chiedere informazioni.

8 Ho comprato le mele _____ fruttivendolo.

9 Vado a protestare _____ direttore!

10 Compro sempre i cornetti _____ pasticciere.

2 Da chi è andata Alice a fare la spesa? Completa il testo con le preposizioni e i negozianti.

Alice è andata _____ a comprare mezzo chilo di vongole. Dopo è passata _____ e ha preso un chilo di pane. Ha comprato poi le arance e le banane _____ e infine, prima di tornare a casa, ha preso _____ una coppetta di gelato alla nocciola.

I comparativi

Si usano quando si confrontano due persone o due cose su:

- una qualità: *Alice è meno pigra di Teo.*

- un'azione: *Rafael studia quanto Damiano.*

- l'oggetto diretto di un verbo:
  Teo mangia più dolci di Alice.

Il comparativo può essere:

- **di maggioranza**, formato da **più** + nome, aggettivo o avverbio + **di** (**+ articolo**):

*Scrivo **più** mail **dei** miei compagni.*

*Le frittelle sono **più** buone **del** budino.*

*Silvia corre **più** velocemente **di** Alberto.*

- **di uguaglianza**, formato da:

(**così +**) aggettivo o avverbio + **come**;

(**tanto +**) nome, aggettivo o avverbio + **quanto**:

*In classe ci sono **tanti** banchi **quanti** studenti.*

*Sei **tanto** pigro **quanto** goloso!*

*Martina parla l'inglese bene **come** Lucia.*

- **di minoranza**, formato da **meno** + nome, aggettivo o avverbio + **di** (**+ articolo**):

*Il mio cane fa **meno** capricci **del** tuo.*

*Milano è **meno** calda **di** Palermo.*

*Guido legge le istruzioni **meno** attentamente **di** me.*

3 Scrivi le frasi seguendo le indicazioni, come nell'esempio.

Il computer / essere / utile / il cellulare (=)

Il computer è utile quanto il cellulare.

1 Vincenzo / essere / simpatico / Enrico (+)

_____

2 Il gelato / essere / dolce / marmellata (-)

_____

3 L'argento / essere / costoso / oro (-)

_____

4 Firenze / essere / bella / Venezia (=)

_____

5 Antonio / leggere / libri / Luca (+)

_____

Il partitivo 'ne'

> Il partitivo 'ne' è invariabile e sostituisce un oggetto diretto quando è indicata anche la quantità.
>
> *Compro le banane e **ne** mangio subito una.*
> (ne = una banana)

Attenzione! ❗

Con 'tutto' non si usa 'ne' ma il pronome diretto.
Ho molte caramelle e le offro tutte ai miei amici.

4 Rispondi alle domande con il 'ne' partitivo e le quantità nel riquadro, come nell'esempio.

> cinque ▪ un bicchiere ▪ un chilo ▪ un litro
> ▪ una fetta ▪ un pezzo

Quanto olio di oliva prendi?

Ne prendo un litro.

1 Quanto latte bevi?

_____

2 Quante mele compri?

_____

3 Quanti biscotti mangi?

_____

4 Quanta pizza vuoi?

_____

5 Quanta torta mangi?

_____

5 Adesso rispondi alle domande.

1 Quanto latte bevi al giorno?

_____

2 Quante mele mangi alla settimana?

_____

3 Quanti yogurt mangi al mese?

_____

4 Quanti gelati mangi in estate?

_____

Participi passati irregolari III

accendere	→	**acceso**
chiedere	→	**chiesto**
decidere	→	**deciso**
offrire	→	**offerto**
rispondere	→	**risposto**
rompere	→	**rotto**
spegnere	→	**spento**
vivere	→	**vissuto**

6 Completa le frasi con i verbi al passato.

1 (Voi, accendere) _____ il forno per cuocere la torta.

2 Mario (offrire) _____ una fetta di torta agli amici.

3 I miei nonni (vivere) _____ molti anni in Perù.

4 Il gatto (rompere) _____ il vaso di cristallo.

5 I turisti (chiedere) _____ un'informazione.

6 A che ora (tu, spegnere) _____ la luce ieri sera?

7 Io non (rispondere) _____ alla domanda dell'insegnante.

8 Noi (decidere) _____ di preparare le frittelle.

7 Adesso, senza guardare la lista, prova a riscrivere i participi irregolari.

accendere _____

chiedere _____

decidere _____

offrire _____

rispondere _____

rompere _____

spegnere _____

vivere _____

Ascoltare

1 (1-36) Ascolta la registrazione della segreteria telefonica: indica quali prodotti Alice deve comprare al negozio di alimentari e scrivi le quantità.

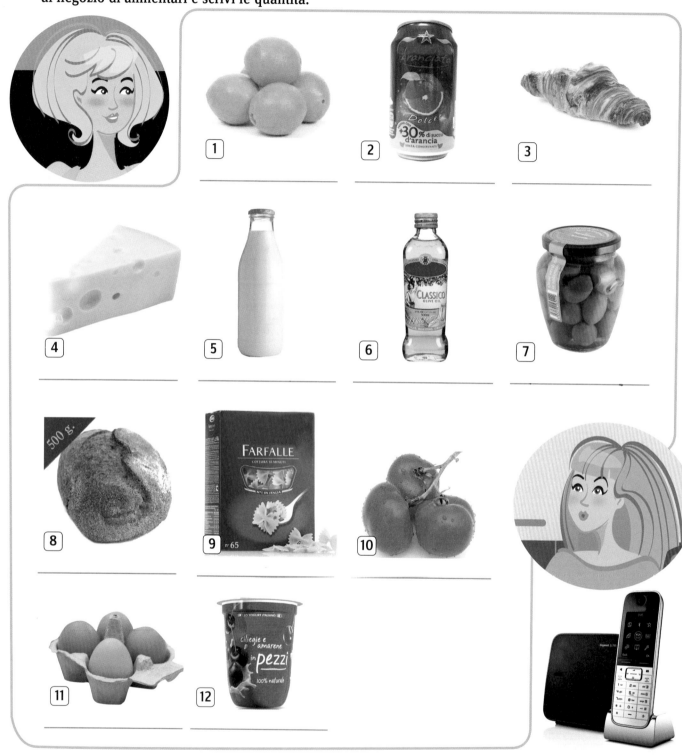

Parlare

2 Vuoi organizzare una merenda a casa tua con gli amici. Scrivi una lista di quello che vorresti offrire e di cosa hai bisogno per prepararlo. Poi immagina i dialoghi con i negozianti per fare gli acquisti necessari.

Scrivere

3 La mamma di Alice non lascia il messaggio sulla segreteria ma su un biglietto. Scrivi il testo.

Leggere

4 Teo scrive un'email a un amico. Leggi il testo e indica se le frasi sono vere (V), false (F) o se l'informazione non c'è (?).

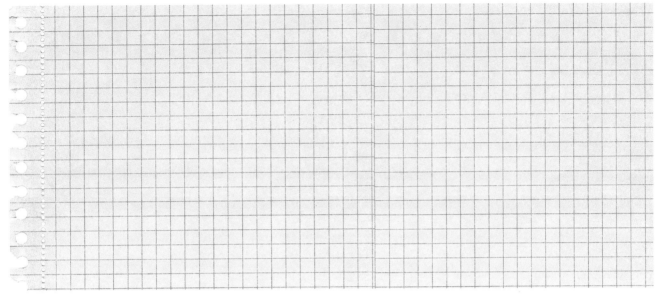

EMAIL

Ciao Luca,

allora domani cosa fai, vieni a casa mia? Ho già organizzato tutto e ho fatto anche la spesa! Oggi sono andato al supermercato con Alice e ho preso tutti gli ingredienti per preparare un sacco di cose buone! Mia madre sa fare una torta al cioccolato davvero unica e mia sorella invece prepara i budini. Io ho comprato anche le bibite e i succhi di frutta. Gioia porta la macedonia con la panna e Carlo, prima di venire qui, passa dal panettiere e prende il pane fresco! Sarà un pomeriggio fantastico! Ah... se vieni, potresti andare dal pasticciere sotto casa tua e comprare un po' dei suoi meravigliosi biscotti alla crema? Dai, ti aspettiamo! Gli altri arrivano verso le tre, tu se hai davvero molto da fare, puoi raggiungerci anche più tardi!

A domani :-)

Teo

	V	F	?
1 Teo organizza una cena con gli amici.	☐	☐	☐
2 Teo ha comprato una torta al cioccolato.	☐	☐	☐
3 Alice prepara i budini.	☐	☐	☐
4 Gioia prepara da sola la macedonia con panna.	☐	☐	☐
5 Carlo deve comprare il pane.	☐	☐	☐
6 L'appuntamento è nel pomeriggio.	☐	☐	☐
7 Teo ha invitato molte persone.	☐	☐	☐
8 Luca può arrivare un po' dopo gli altri.	☐	☐	☐

L'€uro italiano

Le monete italiane presentano da un lato il numero corrispondente al valore della moneta, comune a tutti i Paesi europei, mentre l'altra faccia, quella differente da Stato a Stato, raffigura l'arte e la cultura nazionale.

La popolazione italiana ha scelto i soggetti di alcune monete con una votazione telefonica avvenuta l'8 febbraio 1998, durante una trasmissione televisiva.

Il pubblico ha selezionato tre monumenti da disegnare sulle monete da 1, 2 e 5 centesimi (rappresentanti Nord, Centro e Sud d'Italia), tre opere d'arte per i 10, 20 e 50 centesimi (un esempio di pittura, uno di scultura e uno di architettura) e, in ultimo, per i 2 euro un personaggio del mondo letterario, scientifico o musicale.

Per la moneta da 1 euro, invece, non c'è stato il voto in quanto Carlo Azeglio Ciampi, che all'epoca era ministro dell'Economia, aveva già scelto il disegno dell'*Uomo vitruviano* di Leonardo da Vinci. Quest'opera è infatti altamente simbolica poiché rappresenta il Rinascimento, quando l'uomo era considerato misura di tutte le cose.

Ciampi voleva trasmettere l'idea che il denaro è al servizio dell'uomo e non l'uomo al servizio del denaro.

I telespettatori, con il loro voto, hanno scelto di raffigurare sulle monete questi soggetti:

€ **1 centesimo**: Castel del Monte, vicino Andria, in Puglia;

€ **2 centesimi**: la Mole Antonelliana di Torino;

€ **5 centesimi**: il Colosseo di Roma;

€ **10 centesimi**: *La nascita di Venere*, un dipinto di Botticelli;

€ **20 centesimi**: *Forme uniche della continuità nello spazio*, una scultura di Umberto Boccioni;

€ **50 centesimi**: la piazza del Campidoglio a Roma, un progetto di Michelangelo;

€ **2 euro**: Dante Alighieri, il poeta fiorentino.

1 Scrivi sotto alle monete i soggetti nel riquadro.

Uomo vitruviano ■ Piazza del Campidoglio ■ La nascita di Venere ■ Colosseo ■ Dante Alighieri
■ Mole Antonelliana ■ Forme uniche della continuità nello spazio ■ Castel del Monte

1 _____

2 _____

3 _____

4 _____

5 _____

6 _____

7 _____

8 _____

FILMATO DAL WEB

CLICCA E GUARDA

Vuoi imparare a preparare il tiramisù?
Ecco qui una semplice ricetta con tutte le istruzioni.

www.elionline.com/amiciditalia

1 (1-37) **Ascolta e leggi.**

Alice: Che belle cartoline ci sono in questa pagina web! Sono anche animate e musicali!

Matilde: Possiamo mandare gli auguri per le feste ai nostri amici!

Alice: Questa con Babbo Natale in bicicletta è perfetta per Matteo, lui è molto sportivo! Cosa gli scriviamo?

Matilde: *Ti auguriamo un felice Natale, pieno di regali e di allegria!* Che ne dici?

Alice: Simpatico! Tu hai deciso cosa regalare a tua sorella?

Matilde: Probabilmente le prendo uno zaino per la scuola. Lei invece mi compra una racchetta da tennis perché la mia è rotta. Noi ci diciamo sempre cosa vorremmo ricevere, così ci facciamo regali utili. Invece i nostri genitori preferiscono farci una sorpresa. E tu Alice, cosa vorresti?

Alice: Mi piacerebbe trovare sotto l'albero il biglietto del concerto di Caparezza! È a Capodanno, ci andrei proprio volentieri!

Matilde: E a Teo cosa regali?

Alice: Lui mangerebbe sempre dolci, per questo gli regalo un bel libro di ricette, almeno li prepara da solo!

Teo: Ragazze, non venite in giardino a fare il pupazzo con Lucilla? Dai usciamo, così poi ci tiriamo le palle di neve!

Alice: Io preferirei rimanere in casa, fuori fa troppo freddo. Tu, Matilde, vuoi uscire?

Matilde: No, anzi berrei una bella tazza di cioccolata calda! Voi che ne dite?

Teo: Cioccolata? Che buona! Allora resto qui e vi faccio compagnia!

2 **Rispondi alle domande.**

1 Cosa stanno guardando Alice e Matilde al computer?

_____

2 Quale cartolina spediscono a Matteo e perché?

_____

3 Matilde cosa regala a sua sorella?

_____

4 Cosa vorrebbe ricevere in regalo Alice?

_____

5 Perché Alice regala a Teo un libro di ricette di dolci?

_____

6 Cosa vuole fare Teo?

_____

7 Perché Alice non vuole andare in giardino?

_____

8 Cosa berrebbe Matilde?

_____

In questa unità imparo:

- i nomi, i simboli e le azioni delle feste, le espressioni di augurio;
- a chiedere un parere, a chiedere e a esprimere desideri, a scambiare gli auguri;
- i pronomi indiretti, i verbi riflessivi reciproci, il condizionale presente per esprimere desideri.

5

3 Metti le frasi in ordine.

a ☐ Alice spiega cosa regala a Teo.

b ☐ Teo decide di non andare in giardino.

c ☐ Matilde dice cosa regala a sua sorella.

d ☐ Teo invita le ragazze a uscire in giardino.

e ☐ Matilde chiede una tazza di cioccolata calda.

f ☐ Alice e Matilde guardano le cartoline su internet.

g ☐ Alice dice che fa freddo.

h ☐ Alice e Matilde scrivono a Matteo.

4 Cosa scrivono Alice e Matilde sulla cartolina?

ADESSO TOCCA A TE!

5 Rispondi alle domande.

1 Cosa vorresti ricevere in regalo per le prossime festività?

2 Fra tutti i regali nominati nel dialogo, quali faresti anche tu e quali non faresti mai?

3 Qual è la tua stagione preferita? E quale stagione invece non ti piace? Perché?

Le feste

1 (1-38) Associa le immagini alle feste. Dopo ascolta e controlla.

> **a** Epifania/la Befana ▪ **b** Pasqua
> ▪ **c** Capodanno/l'ultimo dell'anno
> ▪ **d** Festa della Repubblica ▪ **e** Natale
> ▪ **f** Festa della donna ▪ **g** Carnevale
> ▪ **h** San Valentino

 1 □

 2 □

 3 □

 4 □

 5 □

 6 □

 7 □

 8 □

2 Abbina le parole nel box alle immagini e scrivi quale festa rappresentano.

> **a** fuochi d'artificio ▪ **b** bandiera ▪ **c** calza
> ▪ **d** mimosa ▪ **e** cuore ▪ **f** maschere

 1 □

 2 □

 3 □

 4 □

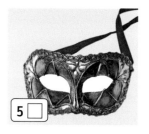 5 □

 6 □

3 Tra le feste degli esercizi precedenti trova quella con la rima giusta per completare il proverbio.

CAPODANNONA
VENRACELAT
ALEEPIFANIASAN
ONITNELAV

L'_____ tutte le feste porta via.

4 Collega gli oggetti alle feste.

Tombola

Uovo

Regalo

Natale

Pasqua

Torrone

Coniglietto

Albero

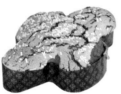

Colomba

Presepe

Le azioni e le parole delle feste

5 Completa le frasi con le espressioni nel riquadro.

> ci facciamo gli auguri ■ ci facciamo gli scherzi
> ■ ci mandiamo ■ il cenone ■ veglione
> ■ ci scambiamo i regali

1 Prima delle feste _____ le cartoline di auguri.

2 A Natale _____ sotto l'albero.

3 La sera del 31 dicembre molti giovani vanno al _____ in discoteca, le famiglie restano a casa per _____ con tutti i parenti.

4 Il 1° gennaio _____ di buon anno.

5 Il 1° d'aprile _____ per ridere fra amici.

Gli auguri

6 Scrivi sotto i disegni gli auguri che si possono fare in queste occasioni.

> Felice anno nuovo! ■ Buon Natale! ■ Auguri!
> ■ Felice Pasqua! ■ Ti auguro un felice Natale!
> ■ Congratulazioni! ■ Buon compleanno!
> ■ Vi auguro tanta felicità! ■ Tanti auguri!
> ■ Sentite felicitazioni!

1

_____
_____

2

_____
_____

3

_____
_____

4

_____
_____

5

_____
_____

6

_____
_____

Chiedere un parere

1 (1-39) Ascolta e ripeti.

> Cuciniamo le lasagne a Natale, che ne dite?

> Ottima idea.

> Questi guanti rossi sono perfetti per mia madre, cosa ne pensi?

> Secondo me sono più belli quelli verdi.

> Questo regalo va bene per Arianna, voi cosa ne pensate?

> Sì, è perfetto per lei!

Attenzione! ❗

Il pronome 'ne', oltre alla funzione partitiva, sostituisce un oggetto, una persona, un animale o un'azione introdotti dalla preposizione 'di' e già espressi in precedenza.

*Tutti parlano di questa trasmissione televisiva. Tu che **ne** pensi?* (Cosa pensi **di** questa trasmissione televisiva?)

*Domani sera andiamo a teatro, che **ne** dici?* (Cosa dici **della** proposta di andare a teatro?)

2 Immagina i dialoghi.

Chiedere ed esprimere desideri

3 (1-40) Ascolta e ripeti.

> Cosa ti piacerebbe ricevere per il tuo compleanno?

> Mi piacerebbe tanto una bicicletta.

> Quale regalo vorresti per Natale?

> Sarebbe bello ricevere un paio di sci.

> Cosa vorresti fare a San Silvestro?

> Andrei volentieri al cenone a casa di Flavia.

> Dove passeresti le prossime vacanze estive?

> Le passerei al mare.

4 Guarda i disegni e scrivi i desideri di queste persone.

_____   _____

_____   _____

5 In coppia. A turno, chiedete di esprimere un desiderio e rispondete.

> Cosa faresti in questo momento?

> Mangerei una pizza!

> Cosa ti piacerebbe fare domenica prossima?

> Sarebbe bello andare a sciare.

1 Dopo la lezione.
2 Questa sera.
3 Il prossimo fine settimana.
4 Per il compleanno.
5 La prossima estate.
6 Per Capodanno.

6 (1-41) Completa il dialogo mettendo le frasi al posto giusto. Dopo ascolta e controlla.

- Ciao ragazzi, cosa facciamo sabato pomeriggio?
- ☐
- Io preferirei stare all'aperto. Verreste con me a fare jogging al parco?
- ☐
- Allora meglio di no.
- ☐
- Sì, è una bella idea! Quanto costa il biglietto? Non vorrei spendere molto...
- ☐
- Benissimo! Io prenderei volentieri anche il poster, magari è gratis anche quello!
- ☐

1 In quel caso lo prenderemmo anche noi!
2 In alternativa, io visiterei la mostra di presepi in piazza. Che ne dite, ci andiamo?
3 Ci piacerebbe andare al cinema, tu che ne pensi?
4 Sarebbe bello ma io ho un po' di mal di gola.
5 Per gli studenti l'entrata è gratis, ma solo questo fine settimana.

Scambiarsi gli auguri

7 (1-42) Ascolta e ripeti.

> Buon Natale!

> Grazie, buon Natale anche a te!

> Ti auguro un felice anno nuovo!

> Grazie, altrettanto!

> Tutti i nostri migliori auguri di buone feste!

> Tanti auguri anche a voi!

> Tanti auguri di buona Pasqua!

> Auguri!

8 Cosa dici in queste occasioni?

1 È il 23 dicembre, ultimo giorno di scuola prima delle vacanze. Cosa dici ai tuoi compagni?

2 È la mattina del 25 dicembre. Cosa dici a tua sorella quando vi svegliate?

3 Sei al cenone di San Silvestro. Cosa dici a mezzanotte?

4 Domani è Pasqua. Cosa dici alla tua amica?

I pronomi indiretti atoni

io	→	mi
tu	→	ti
lui	→	gli
lei	→	le
noi	→	ci
voi	→	vi
loro	→	gli/loro

I pronomi sostituiscono un nome oggetto indiretto di un verbo.

- *Perché non **mi** dite cosa c'è in quella scatola?*
- *Non **ti** possiamo dire niente: è una sorpresa!*

I pronomi indiretti si trovano normalmente davanti al verbo. Con i servili e con 'sapere', invece, possono essere prima del verbo coniugato o uniti all'infinito.

- ***Gli** devo scrivere un biglietto di auguri.*
- *Devo scriver**gli** un biglietto d'auguri.*

Attenzione! !

La forma 'loro' della 3ª persona plurale si usa prevalentemente nello scritto formale, segue il verbo e non si unisce all'infinito.

*Hai detto **loro** che il cenone di Capodanno comincia alle 21?*

1 Completa le frasi con i pronomi nel riquadro.

ci ▪ gli ▪ le ▪ mi ▪ ti ▪ vi

1 Domani chiamo Lea e _____ chiedo aiuto per i compiti di matematica.

2 Laura è gentile con noi, _____ telefona spesso.

3 Domani è il compleanno di Marino. _____ regalo un CD.

4 Ragazzi, vengo a casa vostra e _____ porto una torta.

5 Perché tua madre non _____ dà il permesso di uscire con noi?

6 Scrivo spesso alla mia amica cinese e lei _____ risponde subito.

2 Completa le risposte.

1 Cosa regali a Franca per il suo compleanno?
_____ una borsa.

2 Quando scrivi al tuo amico americano?
_____ questa sera.

3 Cosa offriamo ai nostri compagni?
_____ un succo di frutta.

4 Cosa date al professore?
_____ la ricerca di storia.

5 Cosa spedisci a Maria?
_____ le foto della gita.

6 Cosa prepari ai tuoi ospiti?
_____ le lenticchie.

I verbi reciproci

La forma reciproca indica lo scambio di un'azione tra due o più soggetti.
Si trova coniugata solo alle persone plurali e il verbo è preceduto dai pronomi riflessivi.

*Alfredo e Maurizio **si incontrano** spesso in centro.*

(Alfredo incontra Maurizio e Maurizio incontra Alfredo).

3 Descrivi queste immagini.

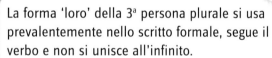

_____ _____

_____ _____

Il condizionale presente

	Sciare	Ridere	Finire
io	sci**erei**	rid**erei**	fin**irei**
tu	sci**eresti**	rid**eresti**	fin**iresti**
lui/lei	sci**erebbe**	rid**erebbe**	fin**irebbe**
noi	sci**eremmo**	rid**eremmo**	fin**iremmo**
voi	sci**ereste**	rid**ereste**	fin**ireste**
loro	sci**erebbero**	rid**erebbero**	fin**irebbero**

Si può esprimere un **desiderio** in diverse forme:

- con il verbo al condizionale:

Guarderei volentieri un film comico.

- con il condizionale di 'volere' e l'infinito del verbo:

Vorrei guardare un film comico.

- con il condizionale di 'piacere' e l'infinito del verbo:

Mi piacerebbe guardare un film comico.

Forme irregolari del condizionale

	io	tu	lui/lei	noi	voi	loro
Bere	berrei	berresti	berrebbe	berremmo	berreste	berrebbero
Dare	darei	daresti	darebbe	daremmo	dareste	darebbero
Dire	direi	diresti	direbbe	diremmo	direste	direbbero
Essere	sarei	saresti	sarebbe	saremmo	sareste	sarebbero
Fare	farei	faresti	farebbe	faremmo	fareste	farebbero
Stare	starei	staresti	starebbe	staremmo	stareste	starebbero
Tenere	terrei	terresti	terrebbe	terremmo	terreste	terrebbero
Venire	verrei	verresti	verrebbe	verremmo	verreste	verrebbero

Attenzione!

I verbi in -care e -gare prendono la 'h' davanti alla desinenza:

*cercare → cerc**h**erei*

*pagare → pag**h**erei*

I verbi in –ciare e in -giare perdono la 'i':

*cominciare → comin**c**erei*

*mangiare → man**g**erei*

Alcuni verbi al condizionale perdono la 'a' o la 'e' della desinenza:

andare → andarei → andrei

avere → averei → avrei

cadere → caderei → cadrei

4 **Completa le frasi con i verbi nel riquadro.**

> andare ■ bere ■ fare ■ giocare ■ invitare ■ mangiare ■ partire ■ preferire ■ stare

1 Ho fame, _____ un panino.

2 Abbiamo sonno, _____ volentieri a letto.

3 Che sete! Io e Mirco _____ un tè freddo.

4 Tu dopo le superiori _____ volentieri per gli Stati Uniti.

5 In estate voi _____ sempre in spiaggia.

6 Non voglio viaggiare in macchina, _____ prendere il treno.

7 Domani è il mio compleanno, _____ una festa e _____ tutti i miei amici.

8 Stefania adora il tennis, _____ tutti i giorni.

Parlare

1 Guarda le foto e racconta cosa hanno fatto per le feste di Natale queste persone.

Ascoltare

2 (1-43) Ascolta il dialogo e completa le frasi.

1 Tania _____ una spremuta perché _____.

2 Ieri i compagni di classe di Tania le hanno fatto _____; all'inizio lei _____ ma dopo ha capito tutto e allora _____.

3 I suoi compagni non _____ il pesce dietro la schiena a Tania.

4 Il fratello di Piero gli ha fatto un pesce d'aprile _____. Ha sostituito i libri nello zaino con _____ a forma di pesce.

Leggere

3 Leggi il testo ed elenca le tradizioni del Natale.

Ciao Yoko,
come stai? Io sono felice perché oggi è il 24 dicembre, vigilia di Natale, e per noi in Italia è una grande festa. Sono appena tornata a casa dal centro commerciale, dove ho finalmente comprato i regali per la mia famiglia. Adesso i pacchi sono sotto l'albero e noi aspettiamo la mezzanotte per aprirli tutti insieme. Fra poco andiamo a tavola per la cena della vigilia: è un'occasione per stare insieme con i parenti. Dopo cena giochiamo a tombola :-) siamo nell'era della tecnologia, ma le tradizioni resistono sempre! Domani mattina, poi, io e gli amici ci incontriamo in piazza e ci scambiamo gli auguri. A pranzo siamo a casa dei nonni, con tutti gli zii e i cugini. E domani sera, come ogni anno, andiamo al cinema a vedere un film comico!
Perché non vieni in Italia per il prossimo Natale? Sono sicura che ti piacerebbe molto passare questa festa con noi!

Un salutone e a presto!
Erica

fare i regali,

_____

_____

_____

_____

_____

_____

_____

_____

_____

Scrivere

4 Scrivi un'email a un amico e digli cosa vorresti ricevere in regalo a Natale e perché.

Competenza linguistica

5 Completa il testo con le parole nel riquadro.

buon ■ cena ■ dal ■ enormi ■ ne ■ per ■ ricchi ■ secondo ■ tradizioni

Che fantasia gli italiani! (1) _____ festeggiare Capodanno hanno mille (2) _____ ... La cosa più interessante è forse un piatto della (3) _____ del 31 o del pranzo del primo dell'anno: su tutte le tavole infatti, (4) _____ Nord al Sud della penisola, ci sono (5) _____ quantità di lenticchie. Questi deliziosi legumi sono associati alla prosperità e alla ricchezza e, (6) _____ la credenza popolare, più (7) _____ mangiamo in questo giorno di festa e più saremo (8) _____ nel nuovo anno. E allora: buon appetito e (9) _____ anno a tutti!

L'Italia in festa

Capodanno ▪ Epifania ▪ Ferragosto ▪ Festa del lavoro ▪ Festa della donna ▪ Festa della Liberazione ▪ Natale ▪ Festa della Repubblica ▪ Immacolata Concezione ▪ Ognissanti ▪ Pasqua ▪ Santo Stefano ▪ San Silvestro

Scrivi nei riquadri i nomi delle feste italiane.

1° gennaio

Il primo giorno dell'anno: si mangiano tante lenticchie perché portano fortuna e soldi.

6 gennaio

Dal lontano Oriente sui loro cammelli arrivano i Re Magi! Ma attenzione, c'è qualcun altro che viaggia questa notte: è la Befana, che attraversa il cielo riempiendo con tanti dolci le calze dei bambini buoni, mentre ai cattivi porta solo carbone!

8 marzo

In Italia e in gran parte del mondo si celebra la donna come importante figura della società. Si regalano rametti di mimosa e le ragazze escono insieme per festeggiare.

Una domenica di primavera

È una festa religiosa che ricorda la morte e la resurrezione di Gesù. Per i bambini però vuol dire anche tante uova e coniglietti di cioccolato!

25 aprile

Si ricorda la data del 25 aprile 1945, quando l'Italia è stata liberata dal nazi-fascismo.

1° maggio

È la festa di tutti i lavoratori. In molte città italiane ci sono manifestazioni e a Roma, in piazza San Giovanni in Laterano, c'è un grande concerto con tanti cantanti e gruppi famosi.

2 giugno

Il 2 giugno 1946 gli italiani, tramite un referendum, decidono di passare dalla monarchia alla repubblica. In questa giornata nella capitale ci sono celebrazioni ufficiali e parate militari.

15 agosto

È la festa dell'Assunzione della Madonna. Poiché è in estate, è un giorno per fare festa all'aperto con gli amici, ballare, cantare e mangiare una bella fetta d'anguria davanti a un falò.

1° novembre

È il giorno della festa di tutti i santi che precede quella dei defunti del 2 novembre.

8 dicembre

Festa religiosa dedicata alla Madonna. Per tradizione, è in questo giorno che si fanno il presepe e l'abero di Natale.

26 dicembre

Il giorno dopo Natale si ricorda il primo martire cristiano. Dopo aver mangiato tanto nei giorni precedenti, oggi solo brodo con i cappelletti!

25 dicembre

Si festeggia la nascita di Gesù. Nelle case ci sono i presepi e gli alberi decorati. I bambini aspettano ansiosi l'arrivo di Babbo Natale che porta tanti regali.

31 dicembre

Tutti vestiti eleganti, pronti per il cenone di fine anno. A mezzanotte grande festa, fuochi d'artificio, tanta musica e allegria.

FILMATO DAL WEB

CLICCA E GUARDA

Un servizio televisivo sui festeggiamenti per la Befana che ogni anno si svolgono a Urbania, nelle Marche.

www.elionline.com/amiciditalia

1 (2-1) **Ascolta e leggi.**

Mamma: Alice, ma da quanto tempo sei al telefono? Vieni qui! Io e papà abbiamo una sorpresa!

Alice: Arrivo mamma!

Teo: Quando Alice è al telefono con Silvia parla per ore...

Alice: Non è vero! Abbiamo parlato solo per pochi minuti! L'ho chiamata perché ieri ci siamo divise i compiti per la ricerca di storia; abbiamo discusso un po' di come va il lavoro.

Mamma: Va bene ragazzi! Ho una bella notizia: sabato partiamo per Cervinia! Andiamo a fare la settimana bianca.

Papà: Abbiamo prenotato due camere! Le abbiamo trovate in offerta in un piccolo residence.

Teo: Cervinia? Fantastico! Non ci sono mai stato, ma so che è super!

Alice: Io invece ci sono già andata in gita con la scuola due anni fa! È freddissimo e poi non so sciare!

Mamma: Ma Alice, la montagna offre mille alternative: puoi fare pattinaggio sul ghiaccio o sci di fondo, oppure puoi andare in escursione a vedere i cervi e gli scoiattoli...

Teo: O andare sullo slittino!

Papà: Hai mai provato lo snowboard?

Alice: Sì, ho già fatto delle lezioni e mi sono divertita un mondo! Avete ragione, ci sono mille cose da fare in montagna!

Teo: Io invece non sono ancora sceso lungo la pista rossa, se faccio pratica per una settimana forse questa volta posso provare.

Alice: Portiamo anche Mirimì?

Papà: No, forse è meglio se Mirimì rimane a casa con i nonni.

Mamma: Allora forza ragazzi! Non abbiamo ancora comprato gli sci per Lucilla e la tuta per papà.

2 Indica se le informazioni sono vere (V), false (F) o non ci sono (?).

	V	F	?
1 Alice fa una sorpresa a sua madre.	☐	☐	☐
2 Alice e Silvia hanno parlato per ore.	☐	☐	☐
3 Alice ha telefonato a Silvia.	☐	☐	☐
4 La ricerca di storia è difficile.	☐	☐	☐
5 I genitori di Alice hanno prenotato due camere.	☐	☐	☐
6 Teo è già stato a Cervinia.	☐	☐	☐
7 La mamma di Alice fa pattinaggio.	☐	☐	☐
8 Alice ha già provato lo snowboard.	☐	☐	☐
9 Teo è già sceso lungo la pista rossa.	☐	☐	☐
10 Lucilla non ha gli sci.	☐	☐	☐

In questa unità imparo:

■ l'attrezzatura e l'abbigliamento per lo sport alpino, gli animali di montagna;

■ a chiedere e a dire se si è mai fatta una cosa, a chiedere e a dire per o da quanto tempo si fa una cosa, a chiedere e a dire se si è già fatta una cosa;

■ il passato prossimo dei verbi riflessivi, alcuni participi passati irregolari, le preposizioni di tempo 'da' e 'per', il passato prossimo con i pronomi diretti.

3 Adesso correggi le informazioni false.

_____

_____

_____

_____

—Buono a sapersi!—

• La settimana bianca è una vacanza invernale in montagna quando c'è la neve; generalmente si fa per andare a sciare.

• La pista rossa è una discesa da sci abbastanza difficile.

4 Scrivi le attività associate a queste immagini.

 1

 2

_____ _____

 3

 4

_____ _____

ADESSO TOCCA A TE!

5 Rispondi alle domande.

1 Fai sport invernali? Quali?

2 Quali sport invernali segui? Perché?

3 Ti piace andare in montagna d'inverno? Perché?

Muoversi in montagna

1 (2·2) Scrivi le parole nel riquadro sotto le immagini corrispondenti. Dopo ascolta e controlla.

> slittino ▪ bob ▪ pattini da ghiaccio ▪ funivia ▪ seggiovia ▪ sentiero ▪ rifugio ▪ pista ▪ gatto delle nevi ▪ motoslitta

Buono a sapersi!

Il rifugio di montagna è un edificio che si trova lontano dai centri abitati; gli escursionisti trovano servizi di base come ristorante o sale per mangiare, bagni e, a volte, anche camere per dormire.

2 (2·3) Ascolta la descrizione di queste persone e scrivi i nomi degli oggetti indicati.

1

2

3

4

5

6

7

8

9

10

Cecilia

Daniele

CECILIA

1 _____
2 _____
3 _____
4 _____
5 _____
6 _____

DANIELE

7 _____
8 _____
9 _____
10 _____
11 _____

3 Completa il testo con le parole corrispondenti alle immagini.

AMICI DELLA MONTAGNA

| Sciare | Diario | Eventi | Notizie |

Lo scorso fine settimana io e la mia famiglia siamo andati in montagna. Sabato mattina ci siamo messi le

nostre (1) _____, abbiamo preso la (2) _____ e siamo saliti sulla cima.

Con un gruppo di altri turisti siamo andati a passeggiare su un sentiero attraverso il bosco; abbiamo

camminato per un'ora con le (3) _____ e siamo arrivati a un

(4) _____ dove abbiamo pranzato e ci siamo riposati. Il pomeriggio abbiamo noleggiato le

(5) _____ e siamo scesi a valle. Domenica abbiamo sciato tutto il giorno. Con la

(6) _____ è molto facile risalire la (7) _____ :-) ma scendere

è un po' più difficile! La mia sorellina invece ha giocato tutto il giorno con altri bambini con gli

(8) _____. Ci siamo divertiti un mondo!   ◁ HOME ▷

Gli animali di montagna

4 Trova nella griglia i nomi di questi animali di montagna e scrivili sotto le fotografie. Con le lettere che rimangono nel riquadro completa la frase per sapere qual è la montagna più alta d'Italia e la sua altezza.

1 C _ _ _ _ _

2 A _ _ _ _ _ _

3 M _ _ _ _ _ _

4 T _ _ _ _ _

5 V _ _ _ _ _

6 L _ _ _ _

7 O _ _ _ _

M	O	O	R	S	O	N	T
E	B	I	A	C	N	C	T
M	A	R	M	O	T	T	A
O	Q	Q	V	I	U	A	S
L	U	P	O	A	T	T	S
E	I	R	L	T	O	M	O
P	L	I	P	T	L	A	O
R	A	T	E	O	T	O	C
E	E	N	T	L	O	D	I
C	E	R	V	O	E	C	I

Il _ _ _ _ _ _ _ _ _ _ _ _ _ _ che è alto

8 L _ _ _ _ _

9 S _ _ _ _ _ _ _

_ _ _ _ _ _ metri.

Chiedere e dire se si è mai fatta una cosa

1 (2-4) Ascolta e ripeti.

> Hai mai fatto sci di fondo?

> No, non l'ho fatto mai.

> Siete mai andati a sciare?

> Sì, una volta.

> Professore, ha mai preso la funivia?

> No, non l'ho mai presa.

> Io non ho mai fatto la settimana bianca, e tu?

> Io sì, due volte.

2 Guarda i disegni e scrivi i dialoghi.

1

2

A _____
B No, _____

A _____
B Sì, _____

3

4

A _____
B No, _____

A _____
B Sì, _____

ADESSO TOCCA A TE!

3 In coppia. Chiedi al compagno se ha mai fatto queste cose.

- la settimana bianca;
- salire sulla seggiovia;
- scendere lungo una pista di sci;
- camminare su un sentiero di montagna;
- pattinare sul ghiaccio;
- lezione di sci;
- andare sullo slittino.

Chiedere e dire per o da quanto tempo si fa una cosa

4 (2-5) Ascolta e ripeti.

> Da quanto tempo studi l'italiano?

> Da circa un anno e mezzo.

> Per quanto tempo puoi connetterti gratis a internet?

> Per un'ora.

> Da quanti minuti aspetti l'autobus?

> Da più di dieci minuti.

> Per quante ore hai dormito in aereo?

> Ho dormito per tutto il viaggio.

> Da quanti mesi non fai una vacanza?

> Non vado in vacanza dall'agosto scorso.

5 Guarda le foto e scrivi le frasi come nell'esempio.

1

23.00 - 07.00

Ha dormito per otto ore.

2

18.30 - 19.30

_____
_____

3

17.00 - 17.30

_____
_____

4

luglio-agosto

_____
_____

5

10.00 - 13.00

_____
_____

6

2005-2010

_____
_____

6 In coppia. Chiedi al compagno da quanto tempo fa queste cose.

- studia l'italiano;
- abita nella sua casa;
- è in classe;
- vive nella sua città;
- non va al mare.

Chiedere e dire se si è già fatta una cosa

7 (2-6) Ascolta e ripeti.

A Hai già fatto colazione?

B Sì, l'ho già fatta.

A Avete già finito i compiti?

B No, non abbiamo ancora finito.

A Hai già visto questo film?

B Sì, l'ho già visto.

A Professore, ha già letto questo libro?

B No, non l'ho ancora letto.

8 Guarda le foto e scrivi le frasi al passato prossimo con le azioni nel riquadro.

> mettersi i pattini ■ pranzare ■ finire i compiti
> ■ entrare al cinema ■ lavarsi i capelli
> ■ fare la spesa

1

2

3

4

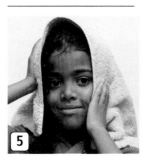

5

6

_____   _____

Il passato prossimo dei verbi riflessivi

io	mi	sono	lavato/a
tu	ti	sei	lavato/a
lui	si	è	lavato
lei	si	è	lavata
noi	ci	siamo	lavati/e
voi	vi	siete	lavati/e
loro	si	sono	lavati/e

> Il passato prossimo dei verbi riflessivi si forma con l'ausiliare 'essere'.

1 Completa le frasi con i verbi al passato.

1 Alice (divertirsi) _____ con lo snowboard.

2 Silvia e Alice (dividersi) _____ la ricerca.

3 Teo (addormentarsi) _____ presto.

4 Noi (svegliarsi) _____ tardi.

5 Mamma, a che ora (alzarsi) _____?

6 Elsa, perché non (mettersi) _____ la tuta da sci?

7 Dove (voi, incontrarsi) _____?

8 Alla fine della lezione gli studenti (salutarsi) _____.

2 Completa le frasi con i verbi nel riquadro alla forma attiva e a quella riflessiva. Usa un solo verbo per ogni frase.

> fare ▪ mettere ▪ pettinare ▪ svegliare

1 La mamma _____ davanti allo specchio e dopo _____ Lucilla.

2 Questa mattina noi _____ la doccia e dopo _____ colazione in giardino.

3 Ieri sera io _____ in ordine la mia stanza; dopo _____ il pigiama e sono andato a letto.

4 Mirimì domenica _____ presto e dopo _____ tutta la famiglia con i suoi 'miao'.

Participi passati irregolari IV

correggere	→	corretto
cuocere	→	cotto
discutere	→	discusso
dipingere	→	dipinto
nascondere	→	nascosto
spendere	→	speso
dividere	→	diviso
scendere	→	sceso

3 Completa le frasi con i verbi al passato.

1 L'insegnante (dividere) _____ la classe in gruppi e ogni gruppo (correggere) _____ un esercizio di geometria.

2 Lo sciatore (scendere) _____ dalla montagna in pochi minuti.

3 Noi (discutere) _____ in famiglia e (decidere) _____ di fare la settimana bianca a Cervinia.

4 Quanto (voi, spendere) _____ per comprare questo dizionario on line?

5 Chi (dipingere) _____ questo bellissimo quadro?

6 I bambini (scoprire) _____ dove la mamma (nascondere) _____ la cioccolata.

7 Il fornaio (cuocere) _____ il pane nel forno a legna.

4 Cosa hanno fatto queste persone? Scrivi le frasi sotto le foto.

_____

_____

_____

_____

Le preposizioni di tempo 'da' e 'per'

> La preposizione 'da' (+ articolo determinativo) indica la durata di un'azione ancora in corso o il momento del suo inizio.
>
> *Studiamo l'italiano **da** due anni.*
>
> *Frequento il corso di musica **dallo** scorso maggio.*
>
> La preposizione 'per' indica la durata complessiva di un'azione.
>
> *Ieri ho studiato **per** tre ore.*

5 **Completa con le preposizioni 'da' e 'per'.**

1 Quando siamo arrivati al mare abbiamo affittato una camera _____ una settimana.

2 Studio il russo _____ pochi giorni, ho cominciato il corso due settimane fa.

3 Abitiamo a Milano _____ scorso settembre.

4 Per fare il giro della Sardegna noleggiamo una moto _____ un mese.

Sardegna

Il passato prossimo con i pronomi diretti

> Quando in una frase al passato prossimo c'è un pronome diretto, il participio concorda in genere e numero.
>
> *Luca ha comprato un libro e **l'**ha lett**o** in un'ora.*
>
> *Ho cucinato la pizza e **l'**ho mangia**ta** con gli amici.*
>
> *Avete fatto le ricerche e **le** avete consegna**te**.*
>
> *Ho incontrato i miei amici e **li** ho saluta**ti**.*

6 **Completa le risposte usando i pronomi diretti.**

Hai già visto questo film?

Sì, _l'ho già visto_ ieri.

1 Avete finito gli esercizi?

Sì, _____ cinque minuti fa.

2 Chi ha lavato i piatti? Giorgio?

No, _____ Paolo.

3 Il tuo fratellino ha recitato le poesie di Natale?

Sì, _____ prima del pranzo.

4 Hai spedito l'email?

Sì, _____ stamattina.

5 Daniele vi ha invitati alla sua festa?

Sì, _____ ieri.

6 Ti ha accompagnato a casa Mauro?

No, _____ Ivano.

7 **Rispondi alle domande usando i pronomi diretti.**

Cristoforo Colombo

Leonardo da Vinci

Joanne K. Rowling

Thomas Edison

1 Chi ha scoperto l'America?

_____

2 Chi ha scritto i romanzi di Harry Potter?

_____

3 Chi ha inventato la lampadina?

_____

4 Chi ha dipinto il famoso quadro *Monna Lisa*?

_____

Leggere

1 Leggi le informazioni su questa località turistica e controlla se le frasi sono vere (V) o false (F).

Val di Fiemme

ALBERGHI
OFFERTE
EVENTI

Divertimento, magia e relax con sci, ciaspole o semplici bastoncini.

La Val di Fiemme diverte bambini e ragazzi, perché sa giocare con loro senza dimenticare di prendersi cura anche dei genitori. Negli 'Hotel per famiglie', infatti, tutti possono passare settimane di pieno relax e allegria.
Tra i panorami meravigliosi delle Dolomiti si incontrano divertenti aree gioco per i più piccoli, simpatiche mascotte, piste per lo snowboard e parchi divertimento con slittini, bob e ciambelle di gomma di ogni forma e colore.
C'è anche un'emozionante slittovia, una pista per le slitte che corre attraverso il bosco.
Ogni giorno la Val di Fiemme propone numerose attività organizzate, incluse nella *Non solo sci & Family card*, per avvicinare bambini e ragazzi alla neve e alla natura: escursioni con ciaspole e bastoncini da camminata, sci di fondo o da alpinismo, tutto in compagnia di istruttori e accompagnatori esperti.
Venite a scoprire la Val di Fiemme, sarà un'esperienza magica per tutta la famiglia!

⌂ HOME ▶

		V	F
1	La Val di Fiemme è ideale per le vacanze delle famiglie.	☐	☐
2	Non ci sono aree dedicate ai bambini.	☐	☐
3	C'è una pista specifica per le slitte.	☐	☐
4	Si organizzano escursioni per ragazzi.	☐	☐
5	Ci sono molte attività sportive.	☐	☐
6	I ragazzi fanno sport da soli.	☐	☐

Ascoltare

2 (2-7) Ascolta i dialoghi e associali alle immagini.

 1 ☐  2 ☐  3 ☐  4 ☐

Scrivere

3 Scrivi un'email a un amico e racconta una vacanza o una gita che ti è particolarmente piaciuta.

Parlare

4 Guarda le immagini e racconta cosa hanno fatto queste persone.

 1
 2
 3
 4
 5
 6

Tutti sulla neve!

Gli italiani amano molto la montagna e gli sport invernali; quando possono, organizzano il fine settimana o vacanze più lunghe sulla neve. Le mete preferite si trovano al Nord, dove sono i due grandi comprensori di località sciistiche: il Dolomiti Superski nelle Alpi sud-orientali e la Via Lattea nelle Alpi nord-occidentali.

Dolomiti Superski

È uno dei più grandi comprensori sciistici al mondo: 450 impianti di risalita e 1200 chilometri di piste. Le località più famose sono Ortisei e Canazei, in Trentino Alto Adige, e Cortina d'Ampezzo in Veneto. Queste splendide montagne offrono numerosi percorsi sciistici, fra i quali il Tour Olimpia, per provare l'emozione di scendere a valle su piste olimpiche, il Tour Panorama, per unire l'attività sportiva alla vista di panorami meravigliosi, e il Tour delle Streghe, che porta gli sciatori in luoghi magici, legati a tradizioni e leggende locali.

Sestriere

La Via Lattea

È un comprensorio che si trova in Val di Susa in Piemonte. Nel 2006, durante le Olimpiadi invernali, qui si sono svolte molte gare negli impianti sportivi di Sestriere e Bardonecchia.

In questa zona si dedica particolare attenzione anche ai più piccini: da non perdere il Baby Fun Park di Sansicario, allestito con simpatiche strutture gonfiabili, ideali per il primo divertente contatto con lo sci. Grandi spazi, piste soleggiate e panoramiche, caratteristici villaggi di baite, moderni hotel dotati di tutti i comfort, svaghi di ogni genere, tutto questo fa della Via Lattea il posto perfetto per soddisfare ogni esigenza di chi ama la montagna.

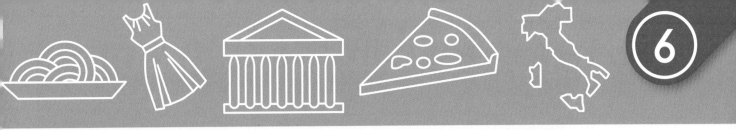

Sull'Appennino

Anche l'Appennino offre ottime strutture per gli sport invernali. In Toscana ci sono le piste e gli impianti di risalita dell'Abetone, nel Lazio quelli del Terminillo; in Abruzzo nell'area della Majella c'è il comprensorio dell'Alto Sangro, il più grande dell'Italia centro-meridionale. Sempre in Abruzzo ci sono le piste sul Gran Sasso, l'imponente catena montuosa più alta degli Appennini.

In Calabria per gli amanti della neve ci sono i monti della Sila, mentre la Sicilia offre l'emozione di sciare sulle pendici dell'Etna, un vulcano attivo dove si può trovare la neve quando nel resto della regione ci sono temperature primaverili.

Terminillo

Rispondi alle domande.

1 Dove si trova il comprensorio della Via Lattea?
2 Dove è possibile fare il Tour delle Streghe?
3 Dove si sono svolte le Olimpiadi invernali del 2006?
4 Quale località è adatta a una famiglia con bambini?
5 Quali stazioni sciistiche ci sono nell'Italia centro-meridionale?
6 In Sicilia dove si può andare a sciare?

FILMATO DAL WEB

CLICCA E GUARDA

Visitiamo insieme una famosa località turistica per trascorrere una entusiasmante settimana bianca.

www.elionline.com/amiciditalia

1 Completa le frasi al passato prossimo con i verbi nel riquadro.

> accendere ▪ chiedere ▪ correggere ▪ decidere ▪ dipingere ▪ offrire ▪ rispondere ▪ rompere ▪ spendere ▪ vivere

1 Per questi scarponi (io) _____ solo 25 euro.

2 Luca _____ alcuni anni in Germania.

3 Quel pittore _____ dei quadri molto belli.

4 (Noi)_____ la radio per ascoltare le notizie.

5 Marco non _____ alla mia email.

6 Per la mia festa _____ la torta agli amici.

7 (Voi) _____ dove andate in vacanza?

8 Lea _____ informazioni in segreteria.

9 Chi _____ la bottiglia dell'olio?

10 La prof _____ tutti i compiti per casa.

Punti _____ 20

2 Scrivi i nomi delle feste che si celebrano in Italia in questi giorni.

a 15 agosto _____

b 14 febbraio _____

c 25 dicembre _____

d 8 marzo _____

e 6 gennaio _____

f 31 dicembre _____

g 2 giugno _____

h 25 aprile _____

Punti _____ 8

3 Scrivi a un amico un biglietto d'auguri per una festa.

Punti _____ 8

4 Abbina le foto alle frasi e poi completale con i verbi nel riquadro al passato prossimo.

a b c

d e f

> addormentarsi ▪ divertirsi ▪ scambiarsi ▪ pettinarsi ▪ salutarsi ▪ svegliarsi

1 ☐ Luisa _____ davanti allo specchio.

2 ☐ Il gatto _____ sul divano.

3 ☐ Cristina _____ alle 7.30.

4 ☐ Noi _____ i regali di Natale.

5 ☐ Tina e Daniele _____ alla stazione.

6 ☐ Le bambine _____ in spiaggia.

Punti _____ 12

5 Completa la lista della spesa.

1 un _____ di maionese

2 due _____ di arance

3 un _____ di latte

4 quattro _____ di yogurt

5 un _____ di biscotti

6 tre _____ di marmellata

Punti 6

6 Completa con i verbi al condizionale.

1 (Io, andare) _____ volentieri al cinema questa sera.

2 Gli studenti (volere) _____ fare la gita scolastica a Napoli.

3 Che freddo! Io e Sandro (bere) _____ una cioccolata calda.

4 La mia amica giapponese (venire) _____ volentieri in vacanza in Italia.

5 Ci dobbiamo alzare ma (noi, rimanere) _____ volentieri a letto.

6 (Essere) _____ bello andare in vacanza al mare!

7 (Io, mangiare) _____ sempre pasta: mi piace da morire!

8 Carolina adora il mare, (vivere) _____ volentieri in Sicilia.

Punti 8

Spiaggia di Taormina, Sicilia

7 Rispondi alle domande. Usa i pronomi indiretti.

1 Quando telefoni alla tua amica?

_____

2 Cosa offri alle tue amiche?

_____

3 Cosa dai al tuo compagno?

_____

4 Cosa regali a tua madre per il compleanno?

_____

5 Cosa spedisci ai tuoi amici?

_____

6 Quando scrivi al tuo amico di penna?

_____

Punti 12

8 (2-8) Completa il testo. Dopo ascolta e controlla.

Prima delle feste di Natale un bambino parla con sua madre e (1) _____ comunica:

"Sai mamma, ho deciso cosa ti regalo per (2) _____!"

E la mamma gli (3) _____ "Davvero? E cosa mi vuoi regalare?"

"(4) _____ bel vaso di cristallo per mettere i fiori".

E la mamma "Un vaso da fiori? Ma tesoro, io ne ho (5) _____ uno bellissimo!"

"Beh... mamma" conclude il figlio "non hai più il tuo bellissimo vaso... l'ho appena (6) _____!"

Punti 6

Calcola il punteggio totale e verifica con l'insegnante.

Punti .... / 80

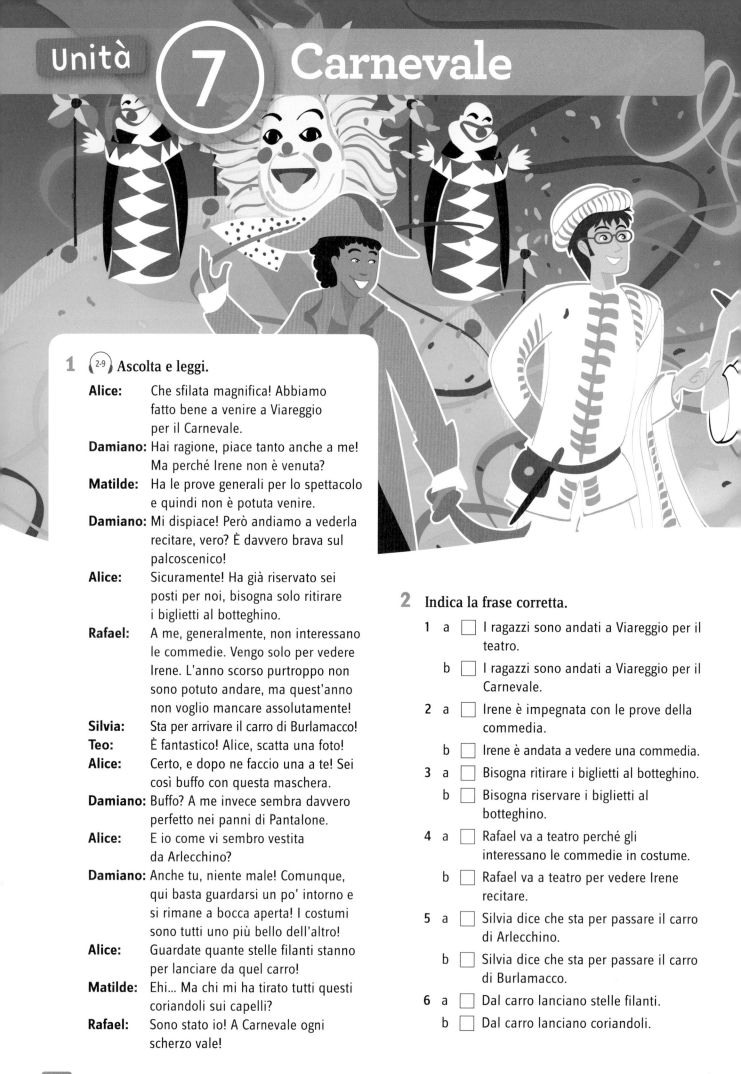

Unità 7 Carnevale

1 (2-9) Ascolta e leggi.

Alice: Che sfilata magnifica! Abbiamo fatto bene a venire a Viareggio per il Carnevale.

Damiano: Hai ragione, piace tanto anche a me! Ma perché Irene non è venuta?

Matilde: Ha le prove generali per lo spettacolo e quindi non è potuta venire.

Damiano: Mi dispiace! Però andiamo a vederla recitare, vero? È davvero brava sul palcoscenico!

Alice: Sicuramente! Ha già riservato sei posti per noi, bisogna solo ritirare i biglietti al botteghino.

Rafael: A me, generalmente, non interessano le commedie. Vengo solo per vedere Irene. L'anno scorso purtroppo non sono potuto andare, ma quest'anno non voglio mancare assolutamente!

Silvia: Sta per arrivare il carro di Burlamacco!

Teo: È fantastico! Alice, scatta una foto!

Alice: Certo, e dopo ne faccio una a te! Sei così buffo con questa maschera.

Damiano: Buffo? A me invece sembra davvero perfetto nei panni di Pantalone.

Alice: E io come vi sembro vestita da Arlecchino?

Damiano: Anche tu, niente male! Comunque, qui basta guardarsi un po' intorno e si rimane a bocca aperta! I costumi sono tutti uno più bello dell'altro!

Alice: Guardate quante stelle filanti stanno per lanciare da quel carro!

Matilde: Ehi... Ma chi mi ha tirato tutti questi coriandoli sui capelli?

Rafael: Sono stato io! A Carnevale ogni scherzo vale!

2 Indica la frase corretta.

1 a ☐ I ragazzi sono andati a Viareggio per il teatro.

  b ☐ I ragazzi sono andati a Viareggio per il Carnevale.

2 a ☐ Irene è impegnata con le prove della commedia.

  b ☐ Irene è andata a vedere una commedia.

3 a ☐ Bisogna ritirare i biglietti al botteghino.

  b ☐ Bisogna riservare i biglietti al botteghino.

4 a ☐ Rafael va a teatro perché gli interessano le commedie in costume.

  b ☐ Rafael va a teatro per vedere Irene recitare.

5 a ☐ Silvia dice che sta per passare il carro di Arlecchino.

  b ☐ Silvia dice che sta per passare il carro di Burlamacco.

6 a ☐ Dal carro lanciano stelle filanti.

  b ☐ Dal carro lanciano coriandoli.

■ le parole sul teatro, sul Carnevale e sulle maschere;
■ a esprimere accordo e disaccordo con il verbo 'piacere',
  opinioni con 'parere' e 'sembrare', necessità, sufficienza;
■ la forma 'stare per + infinito', gli avverbi in -mente, i pronomi diretti
  e indiretti tonici, il passato prossimo dei verbi servili.

7

AVVISO

Selezioni per la recita di Carnevale

Quest'anno il gruppo teatrale della scuola, in occasione del Carnevale, mette in scena *Arlecchino servitore di due padroni* di Carlo Goldoni. Chi è interessato a recitare nella commedia deve presentarsi lunedì 7 gennaio alle 13.00 in aula magna per i provini.

Per la realizzazione dello spettacolo selezioniamo anche queste figure:

• **un tecnico del suono;**
• **un tecnico delle luci;**
• **due scenografi;**
• **due costumisti.**

Vi aspettiamo numerosi.

Ricordate:
*fare teatro regala
emozioni e divertimento!*

3 **Rispondi alle domande.**

1 Quale commedia devono mettere in scena i ragazzi ?
_____

2 Chi è l'autore della commedia?
_____

3 Quando e dove sono i provini per la selezione degli attori?
_____

4 Quali altre figure cercano per realizzare lo spettacolo?
_____

ADESSO TOCCA A TE!

4 **Rispondi alle domande.**

1 Di solito a Carnevale ti mascheri? Se sì, da che cosa? Se no, perché?

2 Hai mai partecipato a una sfilata di carri? Se sì, dove e quando?

3 Hai mai recitato in uno spettacolo teatrale in costume? Se sì, in quale e in che ruolo?

Il Carnevale

1 (2-10) **Guarda le immagini, ascolta e ripeti.**

A Carnevale le persone

· tirano coriandoli (a)

e stelle filanti (b)

· indossano maschere (c)

e costumi (d)

· mangiano castagnole (e)

· soffiano nelle lingue di Menelik (f)

· fanno gli scherzi (g)

· guardano le sfilate di carri allegorici

(h)

---**Buono a sapersi!**---

A Carnevale si possono fare scherzi simpatici e chi li riceve non si deve arrabbiare; da questa usanza viene il modo di dire 'A Carnevale ogni scherzo vale'.

2 **Indica a quale immagine dell'esercizio precedente si riferisce la descrizione.**

1 Sono dolci tipici di Carnevale. ☐

2 Sono lunghe, colorate e di carta. ☐

3 Passano per le vie della città. ☐

4 Nascondono il volto. ☐

5 Sono piccoli, colorati e di carta. ☐

6 È un tubo di carta arrotolato che suona. ☐

7 Abiti che rappresentano personaggi reali o di fantasia. ☐

8 Si possono fare a Carnevale. ☐

3 (2-11) **Leggi le descrizioni e scrivi quale personaggio indicano. Dopo ascolta e controlla.**

Cappuccetto rosso

Coniglio

Dama

Fata

Extraterrestre

Pirata

Sirena

Zorro

1 È un animale con le orecchie lunghe.

_____

2 Viene da un altro pianeta.

_____

3 È una signora di un'altra epoca.

_____

4 Ha la coda di pesce.

_____

5 Vive in mare e ruba le navi.

_____

6 È un eroe con la maschera e il mantello.

_____

7 Ha un cappello a punta e fa gli incantesimi.

_____

8 È il personaggio di una favola.

_____

Il teatro

4 (2-12) Guarda le immagini, ascolta e ripeti.

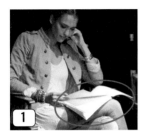

1

Copione

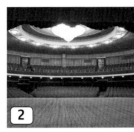

2

Palcoscenico

3

Riflettore

4

Sipario

5

Tecnico delle luci

6

Tecnico del suono

5 Completa le frasi con le parole dell'esercizio precedente.

1 A fine spettacolo si chiude il _____.

2 Il _____
   posiziona, accende e spegne i _____.

3 L'attore impara a memoria il
   _____.

4 Il _____
   si occupa della musica e dei rumori.

5 Gli attori sul _____
   hanno recitato così bene che siamo rimasti
   a bocca aperta!

─Buono a sapersi!─

L'espressione 'rimanere a bocca aperta'
significa 'essere davvero stupiti, meravigliati'.

6 (2-13) Completa il testo con le parole nel riquadro. Dopo ascolta e controlla.

> mettere in scena ▪ prove ▪ provini
> ▪ rappresentazione ▪ recitare ▪ ruoli
> ▪ selezione ▪ tragedia

Oggi ho partecipato alla (1) _____
degli attori per la (2) _____ teatrale di fine
anno scolastico. L'insegnante di recitazione ha
fatto i (3) _____ in aula magna. Sono venuti
tanti studenti, anche se i (4) _____ non
sono molti. Spero di ottenere la parte perché io
adoro (5) _____ . Quest'anno, in
particolare, l'opera da (6) _____
è davvero bella, infatti è *Otello*, la famosissima
(7) _____ di Shakespeare. Aspetto con ansia
i risultati, dovrebbero essere on line fra poco
poiché le (8) _____ cominciano già domani.
Che emozione!!!!

7 (2-14) Ascolta il dialogo e completa con le parole nel riquadro.

> compagnia teatrale ▪ atto ▪ applausi
> ▪ commedie ▪ intervallo ▪ stagione teatrale
> ▪ abbonamento ▪ cartellone

A Hai visto che interessante la
   (1) _____ quest'anno?

B Sì, ho letto che in (2) _____ al Teatro
   Manzoni hanno molte (3) _____
   e anche qualche musical.

A Io ci sono stato l'anno scorso, ho visto lo
   spettacolo della (4) _____ 'Carovana'
   ed è stato bellissimo: alla fine ci sono stati
   dieci minuti di (5) _____ .

B Io invece ho visto una tragedia terribile
   al Teatro Odeon: mi sono addormentato
   durante il primo (6) _____
   e mi sono svegliato solo all' (7) _____,
   quando hanno acceso le luci!

A Allora quest'anno facciamo l' (8) _____
   al Manzoni, così ridiamo e non ti
   addormenti!

Esprimere accordo e disaccordo

1 (2-15) **Ascolta e ripeti.**

> Hai visto che bello spettacolo?
> Mi è piaciuto tantissimo!

> A me invece non è piaciuto affatto.

> Per noi Massimo Lopez è un attore fantastico.

> Anche per noi!

> Ci interessa molto sapere come finisce il romanzo.

> Anche a noi interessa moltissimo.

> Il costume di Daria non ci piace per niente.

> Veramente neanche a me.

2 **Completa i dialoghi esprimendo accordo o disaccordo, secondo le indicazioni.**

1 - Per me Enzo è perfetto per quel ruolo.
   - _____. (disaccordo)

2 - La sfilata dei carri non ci è piaciuta per niente.
   - _____. (accordo)

3 - Per Danilo, andare a teatro è molto interessante.
   - _____. (accordo)

4 - A me non interessa partecipare ai provini di selezione.
   - _____. (accordo)

5 - La commedia mi è piaciuta da morire.
   - _____. (disaccordo)

6 - A Vittoria non piace vestirsi da pagliaccio.
   - _____. (disaccordo)

Esprimere opinioni con 'parere' e 'sembrare'

3 (2-16) **Ascolta e ripeti.**

> Come ti sembra l'ultimo film di Gianni Amelio?

> A me sembra davvero interessante.

> Che ne pensate di questa festa organizzata da Mario?

> Ci sembra ben riuscita.

> Che ne dici di mettere in scena una commedia per Carnevale?

> Mi pare una buona idea.

> Che cosa pensi di questo costume da Arlecchino?

> Mi sembra simpatico e allegro.

4 **Rispondi alle domande usando i verbi 'parere' e 'sembrare'.**

1 Come ti sembrano i festeggiamenti del Carnevale in Italia?

   _____

2 Che ne dici di andare al Carnevale di Venezia?

   _____

3 Che cosa pensi del tuo vicino di casa?

   _____

4 Come ti sembra la lingua italiana?

   _____

5 Che cosa pensi della musica classica?

   _____

6 Che ne dici di mascherarti da fantasma per la sfilata di giovedì grasso?

   _____

—*Buono a sapersi!*—
Il giovedì e il martedì grasso sono i giorni più movimentati del Carnevale. Il martedì, in particolare, ci sono grandi eventi perché è l'ultimo giorno di festa.

Esprimere necessità

5 (2-17) **Ascolta e completa i dialoghi.**

1 A Sono stanco, ho bisogno di riposare.

   B Anche io ho bisogno di un po' di relax!

2 A Che cosa manca per la scenografia?

   B _____ ancora portare le sedie e il tavolo.

3 A Cosa ti serve per preparare le castagnole?

   B Mi servono le uova, la farina, il burro e lo zucchero.

4 A Il giorno delle prove _____ arrivare puntuali.

   B Tranquillo, ho messo la sveglia alle sette in punto.

6 **Di cosa hanno o non hanno bisogno queste persone? In coppia, immagina i dialoghi.**

Esprimere sufficienza

7 (2-18) **Ascolta e ripeti.**

Che cosa devo fare per montare i mobili?

Basta seguire le istruzioni!

È difficile superare i provini?

È sufficiente un po' di buona volontà e un pizzico di fortuna...

8 **Guarda le immagini e spiega cosa basta secondo te per fare una bella festa di Carnevale.**

Secondo me per fare una bella festa di Carnevale bastano...

La forma 'stare per + infinito'

La forma 'stare per + verbo infinito' indica un evento che si realizza nel futuro immediato.

Il treno sta per partire.
(Il treno adesso è fermo ma parte fra pochissimo).

In questa costruzione i pronomi possono essere prima del verbo 'stare' o uniti all'infinito.

*Luisa **si** sta per addormentare.*
*Luisa sta per addormentar**si**.*

1 Guarda le immagini e scrivi cosa sta per succedere.

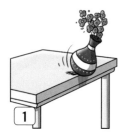

Gli avverbi in -mente

In italiano molti avverbi si formano aggiungendo a un aggettivo il suffisso **-mente** preceduto da una vocale tematica, secondo il seguente schema:

- aggettivi che finiscono in -e:
vivac**e** → vivac**e**mente;

- aggettivi che finiscono in -o/-a:
rapid**o** → rapid**a**mente.

Se nell'ultima sillaba dell'aggettivo è presente una 'l' o una 'r', spesso si elimina la vocale tematica:

legge**r**o → legge**r**mente;
genera**l**e → genera**l**mente.

2 Forma gli avverbi con questi aggettivi e dopo completa le frasi.

> corretto ■ facile ■ felice ■ gentile ■ lento
> ■ probabile ■ regolare ■ veloce

1 _____ Amanda non viene alla festa perché non sta bene.

2 Il postino consegna le lettere _____ alle 10.00.

3 Con il navigatore ho trovato _____ la strada per Viareggio.

4 Viaggiando in aereo, arrivi a Tokyo _____.

5 Che carina Sara, mi ha _____ prestato la sua bici!

6 Ieri Giovanna e Andrea si sono _____ sposati.

7 Anke conosce bene l'italiano, lo parla _____.

8 La tartaruga cammina molto _____.

Il passato prossimo dei verbi servili

> I verbi 'potere', 'dovere' e 'volere' al passato prossimo di regola prendono l'ausiliare del verbo infinito che accompagnano.
>
> **Sono** uscito di casa presto. → **Sono** dovuto uscire di casa presto.
>
> Non **ho** mangiato la pasta. → Non **ho** voluto mangiare la pasta.
>
> Quando invece non accompagnano un infinito prendono l'ausiliare 'avere'.
>
> *Sei andato al cinema? No, non **ho** potuto.*
>
> *Io ho preso una spremuta, Marta invece **ha** voluto un caffè.*

3 Completa le frasi con il passato prossimo dei verbi nel riquadro.

> dover pulire ■ dover rimanere
> ■ poter comprare ■ poter prenotare
> ■ voler mandare ■ voler recitare

1. Ieri, a causa dell'influenza, (tu) _____ _____ a casa tutto il giorno.
2. Avete perso il portafoglio e così non _____ il pane.
3. Loro non _____ nello spettacolo di Carnevale, sono timidi.
4. La mamma non vi _____ in gita perché avete preso un brutto voto.
5. (Noi) _____ i posti sull'aereo grazie alla carta di credito di Marco.
6. Domenica scorsa non sono uscito perché _____ la mia stanza.

4 Scrivi cosa hanno dovuto fare queste persone.

I pronomi diretti e indiretti tonici

io	→	me
tu	→	te
lui/lei	→	lui/lei
noi	→	noi
voi	→	voi
loro	→	loro

> Le forme toniche si usano al posto di quelle atone quando si vuole attirare l'attenzione sulla persona indicata dal pronome per enfatizzare o sottolineare una divergenza.
>
> *- Mi piace molto quell'attore.*
>
> *- A **me** per niente.*
>
> *Perché Rodolfo con **voi** è sempre gentile e con **noi**, invece, mai?*

5 Completa le frasi con i pronomi tonici.

1. Sto scrivendo queste indicazioni per (voi) _____, così non vi perdete.
2. Riccardo quando sta con (io) _____ è sempre bravo e non fa capricci.
3. Perché a (tu) _____ non interessa l'opera lirica?
4. Secondo (loro) _____ questo film è divertente, secondo (io) _____ invece no.
5. Fabiola ha salutato (tu) _____ o (io) _____ ?
6. Ci dispiace molto per il risultato della partita, e a (voi) _____ ?

_____

_____

_____

_____

Ascoltare

1 (2·19) **Ascolta il dialogo e rispondi alle domande.**

1 Cosa ha fatto Bianca a Carnevale?

_____

2 Perché è difficile camminare a Venezia il martedì grasso?

_____

3 Cosa ha fotografato Licia?

_____

4 Quale costume ha comprato Licia?

_____

5 Perché Tommaso non ha comprato un costume?

_____

6 A Bianca piace mascherarsi?

_____

Parlare

2 Guarda queste immagini e descrivi cosa sta per succedere.

1

2

3

4

5

6

Leggere

3 Leggi il testo e indica se le frasi sono vere (V), false (F) o se l'informazione non c'è (?).

Il Carnevale di Viareggio è considerato uno dei più importanti d'Italia e d'Europa; non è solo un evento spettacolare e divertente ma è anche espressione di grandi capacità artistiche e organizzative. La sfilata dei carri sul lungomare della cittadina nasce nel 1873, quando alcune persone ricche decidono di mascherarsi come forma di protesta contro le tasse. A partire da questa data, la manifestazione si è ripetuta regolarmente ogni anno con una sola interruzione in occasione della prima guerra mondiale. Col tempo, le tecniche artistiche e meccaniche per la costruzione dei carri si sono evolute e sono diventate molto sofisticate: oggi, infatti, grazie alle nuove tecnologie è possibile creare movimenti complessi ed effetti scenografici spettacolari. A Viareggio si vedono i carri più maestosi e movimentati del mondo: generalmente sono ispirati a persone o avvenimenti reali e raccontano, con grande umorismo e ironia, la politica, lo sport, lo spettacolo e la cultura contemporanei. Una tradizione che invece si è persa da tempo è quella dei veglioni di colore, le feste danzanti in cui gli uomini indossavano lo smoking mentre gli abiti delle signore, le decorazioni, i coriandoli e le stelle filanti erano tutti in un unico colore.

	V	F	?
1 Il lungomare è il corso principale di Viareggio.	☐	☐	☐
2 La sfilata dei carri nasce come protesta contro le tasse.	☐	☐	☐
3 All'inizio le decorazioni dei carri erano di cartone.	☐	☐	☐
4 Il Carnevale di Viareggio non ha mai avuto pause.	☐	☐	☐
5 I carri possono rappresentare uomini politici.	☐	☐	☐
6 Nei veglioni di colore gli abiti femminili sono neri.	☐	☐	☐

Scrivere

4 Devi organizzare con i tuoi amici una festa di Carnevale in maschera. Manda loro un'email in cui spieghi cosa è necessario fare e dividi i compiti tra i partecipanti.

EMAIL

Le maschere della Commedia dell'Arte

Le maschere tradizionali del Carnevale nascono nel Cinquecento come personaggi della Commedia dell'Arte, un tipo di teatro improvvisato e recitato nelle piazze da attori professionisti che interpretano dei caratteri fissi, legati a particolari regioni d'Italia. Queste figure sono diventate parte della cultura italiana, non solo come ruoli teatrali ma anche come costumi da indossare in occasione del Carnevale. Tra i più famosi abbiamo:

Pulcinella

È una maschera di origini napoletane e rappresenta la persona semplice del popolo. La sua unica preoccupazione è trovare qualcosa da mangiare e per raggiungere il suo scopo racconta bugie e combina un sacco di guai; per questo, alla fine, prende sempre bastonate. Vestito di bianco e con una maschera nera, Pulcinella ha un carattere pauroso, pigro, ingenuo e superficiale ma anche tenero e simpatico.

Arlecchino

Nasce a Bergamo nei quartieri poveri, il suo vestito è, infatti, formato da tanti pezzi di stoffa colorata cuciti insieme. Lavora come servitore ma combina spesso guai e per questo prende bastonate dal suo padrone. È interessato a guadagnare soldi, a volte anche in maniera disonesta.

Colombina

Questa maschera veneziana è l'eterna fidanzata di Arlecchino, intelligente, furba e chiacchierona, lavora come cameriera in casa di una ricca famiglia. Spesso consegna i messaggi d'amore scritti dalla sua padrona. Indossa una giacca rossa, una gonna blu e un grembiule bianco.

Brighella

Nasce a Bergamo nei quartieri nobili. Ha un vestito bianco decorato con nastri verdi. È sempre in cerca di un padrone ricco da servire e da imbrogliare: il suo scopo è, infatti, ottenere facilmente denaro. Ha un carattere furbo e ingegnoso.

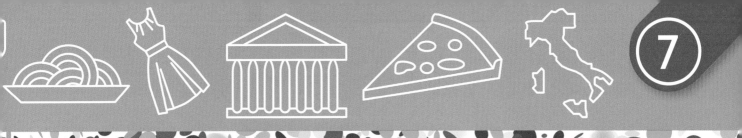

Pantalone

È un vecchio commerciante di Venezia, molto ricco e avaro, infatti pensa sempre ai suoi interessi economici.
Indossa giacca e pantaloni rossi e sopra porta una veste nera; ha la barba e la sua maschera ha un naso lungo con la punta verso il basso.

Balanzone

È un dottore di Bologna. Veste di nero e ha in testa un largo cappello. Vuole dimostrare di essere un uomo di grande cultura, per questo usa parole difficili, ma in realtà è un ingenuo e spesso Arlecchino o Brighella lo imbrogliano.

Scrivi quali personaggi corrispondono alle descrizioni.

1 È di Bergamo. _____

2 È avaro e pensa sempre al denaro. _____

3 È un servitore. _____

4 Porta messaggi d'amore. _____

5 Prende bastonate. _____

6 Parla in modo difficile. _____

FILMATO DAL WEB

CLICCA E GUARDA

Una passeggiata fra le maschere del Carnevale di Sant'Eraclio, in Umbria.

www.elionline.com/amiciditalia

1 (2-20) **Ascolta e leggi.**

Alice: Silvia, hai sentito il nuovo pezzo di Jovanotti?

Silvia: Sì, ho visto il video proprio ieri. Il pop non è il mio genere ma questa canzone è davvero carina!

Alice: Io adoro Jovanotti. Lo ascoltavo già quando ero bambina.

Silvia: Teo ha proprio la passione per la musica!

Alice: Sì, da piccolo suonava una tastiera giocattolo, poi è passato alla batteria e adesso alla chitarra. E purtroppo, ha anche incominciato a cantare...

Silvia: Sì... lo sento! Suoni anche tu uno strumento?

Alice: No, in famiglia i 'musicisti' sono Teo e mio padre: lui da giovane cantava in un gruppo rock. Mia madre invece faceva danza classica, era la più brava del suo corso.

Silvia: Una famiglia di artisti!

Alice: Più o meno!

Rafael: Allora ragazzi, sabato prossimo andiamo al concerto dei Negramaro?

Silvia: Sabato? Accidenti, non posso!

Teo: Neanche io! Ho le prove con il mio gruppo.

Alice: Anche io purtroppo sono impegnata!

Rafael: Uff... che brutta notizia! Allora, siccome suonano anche il 20 di questo mese, non prendete impegni, così ci possiamo andare tutti insieme!

Alice: Che bello! Sono proprio contenta! Detesto perdere i concerti che mi interessano!

Teo: Allora, per prepararvi alla musica dei Negramaro, adesso vi canto una loro canzone. E tu, Rafael, mi accompagni alla batteria?

Tutti: Oh no, Teo! Per favore...

2 **Indica se le informazioni sono vere (V) o false (F).**

		V	F
1	A Silvia non piace molto il pop.	☐	☐
2	Alice da piccola ascoltava Jovanotti.	☐	☐
3	Teo da piccolo cantava.	☐	☐
4	Teo adesso suona la chitarra.	☐	☐
5	Il papà di Teo suonava in un gruppo rock.	☐	☐
6	La mamma fa danza classica.	☐	☐
7	Sabato c'è il concerto dei Negramaro.	☐	☐
8	Teo non può andare al concerto perché deve studiare.	☐	☐
9	Alice detesta andare ai concerti.	☐	☐
10	I ragazzi vogliono ascoltare Teo.	☐	☐

In questa unità imparo:

- gli strumenti musicali e le parole della musica, le espressioni di rammarico e di contentezza o sollievo;
- a descrivere cose e persone nel passato, a raccontare azioni abituali passate, a esprimere insofferenza;
- l'imperfetto, il superlativo relativo, le congiunzioni 'poiché' e 'siccome'.

8

3 Adesso correggi le frasi false.

_____
_____
_____
_____
_____

4 Rileggi il dialogo. Quali sono le frasi che raccontano eventi passati?

ADESSO TOCCA A TE!

5 Rispondi alle domande.

1 Ti piace ascoltare musica? Quando l'ascolti?
2 Sei mai andato a un concerto? Quale?
3 Qual è il tuo cantante o il tuo gruppo preferito?
4 Quale rivista musicale leggi o conosci?
5 Quali cantanti o gruppi italiani conosci?

Strumenti musicali

1 (2-21) Ascolta e scrivi sotto le foto i nomi degli strumenti musicali nel riquadro. Dopo riascolta e controlla.

> chitarra ▪ batteria ▪ flauto ▪ tastiere ▪ violino ▪ pianoforte ▪ sassofono ▪ tromba ▪ fisarmonica ▪ tamburo ▪ basso ▪ contrabbasso

1
_____

2
_____

3
_____

4
_____

5
_____

6
_____

7
_____

8
_____

9
_____

10
_____

11
_____

12
_____

2 Scrivi nella tabella gli strumenti dell'esercizio 1 secondo la loro tipologia. Attenzione, uno strumento non rientra in nessuno dei tre gruppi.

Strumenti a fiato

Strumenti a percussione

Strumenti a corda

3 (2-22) Completa il testo con le parole indicate dalle foto. Dopo ascolta e controlla.

Coro

Direttore

Spartiti

Tenore

Soprano

Orchestra

Cara Silvia,
ieri sono andata al concerto di Natale. L'(1) _____ ha eseguito musiche di Vivaldi,
Verdi e Scarlatti, tutti brani molto emozionanti. Non era solo musica sinfonica, infatti dopo
la pausa è entrato il (2) _____; era la prima volta che assistevo a un concerto dal vivo,
e vedere i cantanti in abito da sera con in mano gli (3) _____, è stato eccitante.
Il (4) _____ solista, poi, aveva una voce magnifica: come mi piacerebbe cantare come
lei! Anche il (5) _____ era bravissimo: un uomo alto, vestito elegantemente e con una
voce potente. Alla fine ci sono stati molti applausi, soprattutto per il (6) _____
d'orchestra che ci ha regalato un bis di cinque minuti.
La prossima volta ci andiamo insieme, ok?
Baci

Espressioni di rammarico e di contentezza o sollievo

4 Leggi le frasi e indica con R le espressioni di rammarico e con C/S le espressioni di contentezza o sollievo.

1 <u>Meno male</u>, l'autobus arriva puntuale! `S`

2 <u>Accidenti!</u> Ho lasciato l'ombrello a casa! ☐

3 <u>Mannaggia</u>, non posso andare al concerto questa sera! ☐

4 Patrizia ha vinto al Superenalotto. <u>Che fortuna!</u> ☐

5 <u>Che rabbia!</u> Non sono potuto partire per il mare con gli amici. ☐

6 <u>Oh no!</u> L'ascensore non funziona! ☐

7 Vai al festival rock? <u>Ma è fantastico!</u> ☐

8 Hans viene in Italia per un mese. <u>Questa sì che è una bella notizia!</u> ☐

9 <u>Peccato</u>, non posso venire a teatro con voi. ☐

10 Hai già comprato i biglietti del concerto? <u>Ottimo!</u> ☐

5 In coppia. A turno date queste notizie e rispondete con le espressioni dell'esercizio precedente.

> Non posso venire al concerto con te.
>> Accidenti! Questa sì che è una brutta notizia!

1 Non puoi andare al concerto con lui.

2 La vostra squadra ha vinto una partita importante.

3 Hai incontrato il tuo cantante preferito e hai fatto una foto con lui.

4 Ti hanno regalato un CD di un gruppo che ti piace da morire.

5 Hai perso il tuo telefonino.

6 Sei caduto ma non ti sei fatto male.

7 Il tempo è brutto e non potete andare al mare.

8 Hai fatto male la verifica di matematica.

Descrivere cose o persone nel passato

1 (2·23) Ascolta e ripeti.

> Com'era la tua maestra delle elementari?

>> Era molto brava e simpatica. Aveva i capelli rossi e portava gli occhiali.

> Dove abitavi da piccolo?

>> Abitavo in una casa in campagna: aveva un grande giardino e un piccolo lago con i pesci.

> Sei andato al concerto?

>> Sì, c'era un sacco di gente. Il palco era pieno di luci e c'era anche uno schermo gigante.

> Quando eri piccolo avevi un animale?

>> Sì, avevo un cane. Era davvero dolce e intelligente. Si chiamava Argo.

2 Guarda la foto e completa la descrizione.

Ieri sono andato al concerto di Zucchero. Ha cantato benissimo e anche lo spettacolo è stato molto bello. (1) _____ una giacca nera e in testa (2) _____ uno strano (3) _____. I capelli (4) _____ lunghi e (5) _____ anche la barba e i baffi. Di solito lui porta gli occhiali da sole ma ieri sera, stranamente, non li (6) _____.
(7) _____ sempre in mano la (8) _____, anche quando non la suonava.
Era davvero simpatico!

3 Descrivi queste immagini.

Mio padre da ragazzo...

In gita con la scuola abbiamo visto...

In vacanza sono andato in campagna a casa di amici...

Mia madre da ragazza...

ADESSO TOCCA A TE!

4 Descrivi a un compagno il posto più bello che hai visto.

Raccontare azioni abituali passate

5 (2-24) **Ascolta e ripeti.**

> Come passavi il tempo quando eri in vacanza?

> Stavo sempre in spiaggia: prendevo il sole e facevo il bagno.

> Com'eri da bambino?

> Ero molto studioso e leggevo sempre i fumetti.

> Com'era la tua vita in campagna?

> Mi piaceva molto: passeggiavo sempre e salivo sugli alberi.

6 **Completa il dialogo.**

1 *Com'era la tua vita quando frequentavi la scuola elementare?*

Un po' diversa, ovviamente, ero più piccolo.

2 _____ ?

Di solito alle 07.00, poi facevo colazione.

3 _____ ?

Mi accompagnava la mamma in macchina, adesso ci vado a piedi.

4 _____ ?

Sì, mi piaceva, i compagni erano simpatici e la maestra era molto brava.

5 _____ ?

No, per pranzo tornavo a casa.

6 _____ ?

Il pomeriggio studiavo e dopo giocavo con i miei amici.

7 _____ ?

Sì, guardavo sempre i cartoni animati.

8 _____ ?

Presto, mai dopo le 21.00.

7 **In coppia. Racconta com'era la tua vita quando eri piccolo.**

> Quando ero piccolo...

> Io invece da bambino...

Esprimere insofferenza

8 (2-25) **Ascolta e ripeti.**

> Non sopporto quando la gente urla!

> Non lo sopporto neanche io!

> Ti dà fastidio se accendo la radio?

> No, però non sopporto il volume troppo alto.

> Vieni con me a sciare?

> No, mi dispiace, detesto il freddo!

> Io non sopporto questa canzone!

> Neanche io! La detesto!

> Mi dà fastidio chi parla al cellulare in autobus.

> Dà fastidio anche a me!

9 **Guarda le foto ed esprimi le tue sensazioni in queste situazioni.**

10 **In coppia. A turno dite quali cose e situazioni vi causano insofferenza.**

L'imperfetto

	Parlare	Leggere	Aprire
io	parlavo	leggevo	aprivo
tu	parlavi	leggevi	aprivi
lui/lei	parlava	leggeva	apriva
noi	parlavamo	leggevamo	aprivamo
voi	parlavate	leggevate	aprivate
loro	parlavano	leggevano	aprivano

L'imperfetto indica un'azione abituale o ripetuta nel passato.

Da bambino andavo a scuola con mio fratello. (tutti i giorni)

Si usa anche per descrizioni nel passato.

Tanti anni fa qui c'era un bosco.
Leonardo da Vinci aveva la barba lunga.

Imperfetto di 'essere', 'bere' e 'fare'

	Essere	Bere	Fare
io	ero	bevevo	facevo
tu	eri	bevevi	facevi
lui/lei	era	beveva	faceva
noi	eravamo	bevevamo	facevamo
voi	eravate	bevevate	facevate
loro	erano	bevevano	facevano

1 Completa le frasi con i verbi nel riquadro.

alzarsi ▪ andare ▪ bere ▪ dormire ▪ fare
▪ leggere ▪ prendere

Quando ero in vacanza tutti i giorni

1 _____ tardi.

2 _____ colazione in terrazza.

3 _____ la bici e _____ in spiaggia.

4 _____ molte riviste di musica.

5 _____ molte bibite fresche.

6 _____ molte ore.

2 Scrivi gli imperfetti nell'incrocio di parole.

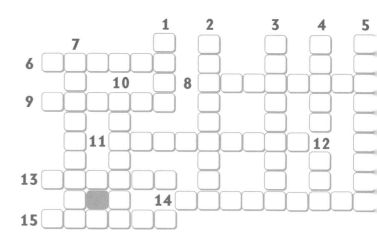

1	1ª p.s. 'dare'	9	1ª p.s. 'creare'
2	1ª p.s. 'dipingere'	10	3ª p.s. 'abitare'
3	2ª p.p. 'vincere'	11	2ª p.s. 'insegnare'
4	1ª p.s. 'avere'	12	3ª p.s. 'essere'
5	1ª p.p. 'tradire'	13	2ª p.s. 'pagare'
6	3ª p.s. 'aprire'	14	3ª p.p. 'correre'
7	1ª p.p. 'partire'	15	2ª p.s. 'volare'
8	3ª p.s. 'piangere'		

3 Completa il testo con i verbi.

I genitori di Alice da ragazzi (essere) (1) _____ molto dinamici: tutti e due (frequentare) (2) _____ l'università, poi nel tempo libero il papà (suonare) (3) _____ la chitarra in un gruppo rock e la mamma (fare) (4) _____ danza classica. Loro (vivere) (5) _____ vicino a Genova; tutte le mattine (prendere) (6) _____ il treno e (andare) (7) _____ a lezione. Quando i corsi (finire) (8) _____, la sera, qualche volta (uscire) (9) _____ ma più spesso (rimanere) (10) _____ a casa a studiare. In estate (partire) (11) _____ insieme per vacanze 'musicali': (seguire) (12) _____ i concerti dei loro cantanti preferiti!

Il superlativo relativo

Il superlativo relativo si forma con
l'**articolo determinativo + (sostantivo)**
+ più o **meno + aggettivo**.

I treni regionali sono i meno veloci in assoluto.
Ai nostri giorni il computer è l'oggetto più utile.

È possibile anche avere un secondo termine
di paragone, che è introdotto dalle preposizioni
di o **fra/tra**.

Secondo me Tiziano Ferro è il più bravo fra
i cantanti italiani.

4 **Rimetti le parole in ordine.**

1 la l'Everest del è montagna alta mondo più

_____

2 Rosa personaggio Pantera più simpatico il
cartoni è dei la animati

_____

3 grande più Mediterraneo la l'isola del Sicilia è

_____

4 è della studente meno Leo classe lo pigro

_____

5 persona più famiglia nostra fratello la mio
della è sportiva

_____

6 è questo della parco più città bello il

_____

5 **Rispondi alle domande come nell'esempio.**

Chi è secondo te il cantante italiano più
famoso?

Secondo me il cantante italiano più
famoso è Eros Ramazzotti.

1 Qual è la città più importante della tua
nazione?

_____

2 Qual è la materia più difficile?

_____

3 Chi è il più simpatico fra i tuoi compagni?

_____

4 Qual è il dolce più buono?

_____

Le congiunzioni 'poiché' e 'siccome'

Le congiunzioni 'poiché' e 'siccome' indicano
la causa di un'azione.

Siccome domani è festa questa sera possiamo
uscire.
domani è festa = causa
possiamo uscire = azione

6 **Scrivi le frasi con le congiunzioni 'siccome'**
e 'poiché' come nell'esempio.

mettersi un ~~maglione pesante~~ ■ non potere
uscire ■ l'esercizio essere difficile ■ lavorare
come traduttore ■ andare a letto ■ prendere i
biglietti in internet ■ essere stanco ■ comprare
un paio di sci ■ ~~avere freddo~~ ■ dovere studiare
molto ■ andare a fare la settimana bianca ■
parlare perfettamente quattro lingue ■ chiedere
aiuto all'insegnante ■ esserci il concerto dei
Subsonica

Siccome ho freddo, mi metto un
maglione pesante.

1 _____

_____

2 _____

_____

3 _____

_____

4 _____

_____

5 _____

_____

6 _____

_____

Ascoltare

1 (2·26) Ascolta la presentazione dei cantanti e indica a chi si riferiscono le informazioni nella tabella.

Emma

Eugenio Bennato

Malika Ayane

Gianna Nannini

	Emma	Eugenio Bennato	Malika Ayane	Gianna Nannini
1 È nata nel 1954.				
2 Ha vissuto in Puglia.				
3 Studiava pianoforte.				
4 Suo padre non è italiano.				
5 Canta anche in dialetto.				
6 Ha recitato in un film.				
7 Suonava con suo padre.				
8 Ha scritto colonne sonore.				

Parlare

2 Guarda le foto e descrivi come erano in passato questi posti.

Roma piazza Barberini 1905

Oggi

Porto Recanati 1930

Oggi

Leggere

3 Leggi il testo e rispondi alle domande.

Musica ieri e oggi

Internet, computer e telefonino: grazie a loro oggi chi segue la musica ha la possibilità di ascoltarla, vedere i video, condividere e postare commenti sui siti e i social network in pochi secondi. Con le visite alle pagine web e i 'mi piace' gli utenti possono contribuire al successo o al fallimento di una canzone. Sono ormai lontanissimi i tempi della radio e delle feste in casa con il giradischi (molti giovani non lo hanno mai visto!), i tempi dei 33 giri in vinile (conoscete quei dischi neri, a due facciate, che giravano su un piatto? Ecco, proprio loro!) quando c'erano pochissime possibilità per ascoltare le nuove canzoni. Oggi è tutto veloce, pratico, immediato. Sento un motivo che mi piace? Con l'applicazione giusta sul mio smartphone in un attimo so il titolo del pezzo e chi lo canta, con un'altra applicazione lo scarico e, infine, lo condivido con i miei contatti su facebook. Tutto in pochissimi secondi e qualche clic. Fino a qualche decennio fa si aspettavano i rari appuntamenti settimanali con i programmi musicali alla radio e alla tv per ascoltare i propri idoli e poi si correva al negozio di musica per comprarne il disco...

1 Perché oggi è molto facile seguire la musica?

_____

2 In che modo gli utenti possono contribuire al successo di una canzone?

_____

3 Cosa sono i 33 giri in vinile?

_____

4 Cosa fanno normalmente i ragazzi oggi quando sentono una canzone che gli piace?

_____

5 Tempo fa cosa potevano fare i giovani per seguire la musica?

_____

6 E tu cosa fai per seguire la musica?

_____

Scrivere

4 Scrivi un'email a un amico e racconta com'era la tua scuola elementare e cosa facevi a lezione.

Note italiane

La musica occupa un posto molto importante nella cultura, non a caso l'Italia è definita la patria del bel canto...

Il Festival di Sanremo

È la manifestazione canora più importante in Italia; la prima edizione risale al 1951 e da allora si svolge regolarmente ogni anno nella bellissima cittadina della Liguria da cui prende il nome. Partecipano non solo cantanti e gruppi famosi ma anche giovani che vogliono emergere. Cambia spesso formula, ma è sempre uno spettacolo avvincente e appassionante che milioni di persone seguono in diretta radio o tv. È trasmesso anche all'estero e proprio il suo successo internazionale ha ispirato la nascita dell'Eurovision Song Contest.

Gli Zero Assoluto e Nelly Furtado al Festival

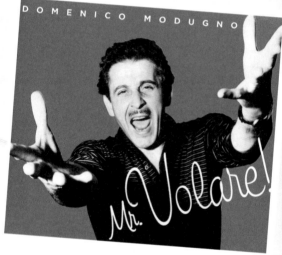

Laura Pausini

È sicuramente l'artista italiana più conosciuta e amata nel mondo. Ha cominciato a cantare a otto anni ed è poi diventata famosa con la vittoria al Festival di Sanremo. Fin dall'inizio della sua carriera ha fatto molte tournée all'estero e ha pubblicato molti CD in lingua spagnola, portoghese, inglese e francese. Ha vinto moltissimi premi prestigiosi, fra cui due Latin Grammy Award.

Nel blu dipinto di blu

Probabilmente è la canzone italiana più famosa nel mondo. Molti confondono il suo titolo con *Volare*, il verbo ripetuto nel ritornello. Il suo interprete, Domenico Modugno, l'ha presentata al Festival di Sanremo nel 1958 e, da quella data, *Nel blu dipinto di blu* non ha mai smesso di rallegrare chi l'ascolta, sia nella versione originale, sia nelle numerose versioni in lingue e ritmi diversi.

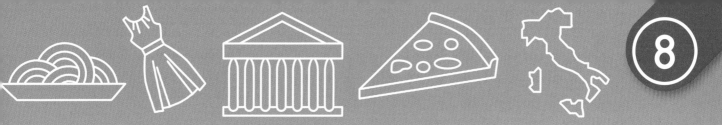

Andrea Bocelli

Nasce come cantante lirico ma è con una canzone melodica, *Con te partirò*, che ottiene un successo planetario. Nella sua brillante carriera ha venduto più di 80 milioni di CD in tutto il mondo ed è sicuramente uno degli artisti italiani più seguiti all'estero.

Nel 2010 il suo nome è stato inserito nella Hollywood Walk of Fame, la celebre passeggiata che ricorda con una stella gli artisti di fama mondiale.

Il rap italiano

Il rap italiano, come quello americano, è legato alla cultura hip hop. Arriva in Italia negli anni '80 grazie a Jovanotti e si sviluppa soprattutto negli anni '90, considerati il suo periodo d'oro. Molti testi sono atti di denuncia delle ingiustizie e dei problemi sociali, come le canzoni di Caparezza, dei 99 Posse, dei Gemelli Diversi e di Fabri Fibra.

Indica se le affermazioni sono vere o false. Giustifica le tue risposte.

		V	F
1	Per vedere il Festival di Sanremo è necessario andare in Liguria.	☐	☐
2	*Nel blu dipinto di blu* è cantata non solo in italiano.	☐	☐
3	Laura Pausini è famosa all'estero perché canta in molte lingue.	☐	☐
4	Andrea Bocelli canta solo opere liriche.	☐	☐
5	Le canzoni rap spesso parlano di problemi reali.	☐	☐

FILMATO DAL WEB

CLICCA E GUARDA

Un video sulle più belle voci femminili del Festival di Sanremo.

www.elionline.com/amiciditalia

1 (2-27) **Ascolta e leggi.**

Damiano: Accendiamo il televisore? Visto che passeremo il fine settimana a Venezia, voglio vedere le previsioni del tempo.

Teo: Ma se dicono che piove, che facciamo? Partiamo ugualmente?

Damiano: Girare per Venezia con la pioggia è veramente triste.

Alice: Sshh! Incomincia la trasmissione!

Teo: Vedete! Come al solito siamo sfortunati: è prevista pioggia su tutto il Veneto.

Alice: Non ti preoccupare Teo, anche se è brutto tempo, andremo comunque a Venezia. Non voglio rinunciare a vedere il ponte di Rialto.

Teo: D'accordo, ma poi che altro faremo? Mi piacerebbe tanto un bel giro in gondola...

Alice: Pioggia o non pioggia, non ho nessuna intenzione di perdermi la gondola. Anzi, credo che sarà più affascinante navigare sui canali sotto una leggera pioggerellina.

Teo: E se invece arriva un acquazzone? Non penso che sarebbe così affascinante...

Damiano: In questo caso possiamo sempre prendere un vaporetto e andare a visitare le vetrerie sull'isola di Murano: sono molto interessanti e inoltre non ci bagneremo.

Alice: Sì, bella idea. Vado pazza per le murrine, sono così allegre e colorate.

Teo: Però è un peccato se non potremo girare tra le calli di Venezia e vedere tanti bei monumenti.

Alice: Tranquillo, ti prometto che, in ogni caso, visiteremo tutta la città. Anche se ci sarà il diluvio, andremo comunque a vedere piazza San Marco, il Palazzo ducale e il ponte dei Sospiri.

Teo: Va bene, che faremo, però, se ci sarà l'acqua alta in piazza?

Alice: Faremo come fanno tutti i veneziani: un bel paio di stivali, un impermeabile e via sulle passerelle!

2 **Rispondi alle domande.**

1 Che programmi hanno Damiano, Alice e Teo?

_____

2 Perché Teo non è contento delle previsioni del tempo?

_____

3 A cosa non vuole rinunciare Alice?

_____

4 Se piove molto, Damiano dove suggerisce di andare?

_____

5 Quali altri luoghi visiteranno i ragazzi a Venezia?

_____

6 Se in piazza San Marco ci sarà l'acqua alta, cosa faranno i ragazzi per visitare la città?

_____

Buono a sapersi!

- Le murrine, prodotte a Murano, sono oggetti di vetro con decorazioni molto colorate.
- Le 'calli' sono le strade di Venezia.

- il meteo e i monumenti;
- a fare previsioni, promesse e progetti, a domandare e a dire che tempo fa;
- alcuni verbi impersonali, il futuro semplice, il periodo ipotetico della realtà, 'anche se'.

Visita guidata
Venezia

ore 09.00: appuntamento alla stazione Santa Lucia
Traversata del Canal Grande in vaporetto con una sosta per la visita del ponte di Rialto.

ore 09.45: arrivo a piazza San Marco
Visita del Palazzo ducale e del ponte dei Sospiri, l'antico passaggio per le prigioni.

ore 11.00: visita alla basilica di San Marco
Potrete ammirare i mosaici bizantini e salire sul campanile per vedere il panorama.

ore 13.00: pausa pranzo
Tempo libero per passeggiare lungo le Mercerie, le famose vie dello shopping.

ore 15.30: appuntamento alla fermata del vaporetto di piazza San Marco
Partenza per l'isola di Murano dove visiterete alcune vetrerie artigianali.

ore 18.30: rientro in battello a Venezia
La visita terminerà alla fermata della stazione Santa Lucia.

3 Completa le frasi.

1 I turisti arriveranno a piazza San Marco
☐ sul vaporetto.   ☐ in treno.

2 Il ponte dei Sospiri era il passaggio
☐ per la basilica.   ☐ per le prigioni.

3 Nella basilica ci sono
☐ i bizantini.   ☐ i mosaici.

4 Alle Mercerie i turisti potranno
☐ fare spese.   ☐ prendere il vaporetto.

5 Sull'isola di Murano ci sono
☐ le Mercerie.   ☐ le vetrerie.

6 La visita guidata di Venezia terminerà a
☐ piazza San Marco. ☐ Santa Lucia.

ADESSO TOCCA A TE!

4 Tu e la tua famiglia avete programmato un fine settimana a Roma. Le previsioni del tempo dicono che pioverà: cosa fate? Partite comunque? Perché?

Il meteo

1 (2-28) **Ascolta e ripeti.**

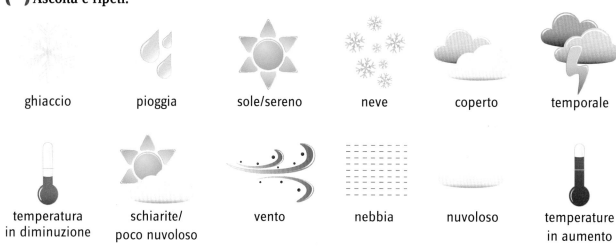

ghiaccio   pioggia   sole/sereno   neve   coperto   temporale

temperatura in diminuzione   schiarite/ poco nuvoloso   vento   nebbia   nuvoloso   temperature in aumento

2 (2-29) **Guarda la cartina con le previsioni del tempo e completa il testo. Dopo ascolta e controlla.**

Anche nel fine settimana l'Italia sarà meteorologicamente divisa in due. Al Nord, infatti, continuerà il cattivo tempo: sarà ancora (1) _____ con possibilità di (2) _____ in montagna. In pianura, attenzione perché nelle ore più fredde ci saranno (3) _____ e (4) _____ sulle strade.
A Nord-Est (5) _____ e (6) _____, anche nelle ore serali.

Al centro il cielo sarà (7) _____ ma l'arrivo di una perturbazione porterà forti (8) _____ che permetteranno delle ampie (9) _____.

Al Sud e sulle isole farà bel tempo per tutto il fine settimana: cielo (10) _____ o (11) _____. Le temperature saranno in (12) _____ al Nord e in (13) _____ al Centro-Sud. La città più calda sarà Catania con 13 gradi e la più fredda Aosta, dove la temperatura potrà scendere anche fino a -2.

Aosta - 2º

Catania + 13º

3 Trova il modo di dire, scritto al contrario nella serpentina, che significa 'avere il potere di determinare ogni situazione, sia in positivo che in negativo'.

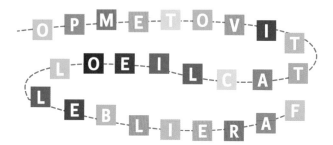

I monumenti

4 (2-30) **Abbina le definizioni alle immagini. Dopo ascolta e controlla.**

 **a** Anfiteatro

 **b** Arco

 **c** Battistero

 **g** Campanile

 **d** Castello

 Duomo **e**

 **f** Fontana

 Mura **h**

 **i** Ponte

 **l** Tempio

1 ☐ È la chiesa più importante della città.

2 ☐ Dalle sue bocche esce acqua.

3 ☐ È la torre di una chiesa.

4 ☐ È un luogo per il battesimo ed è vicino alla chiesa.

5 ☐ Era la casa degli antichi dei.

6 ☐ È un passaggio importante per entrare in città.

7 ☐ Era la casa dei nobili.

8 ☐ Era un luogo dove si svolgevano spettacoli.

9 ☐ Serve per passare da una parte all'altra di un fiume.

10 ☐ Girano intorno alla città.

5 (2-31) **Ascolta e abbina i luoghi alle foto.**

Lo *Sposalizio della Vergine* è un dipinto di Raffaello.
1 ☐

Gli splendidi affreschi di Giotto ad Assisi.
2 ☐

I mosaici bizantini siciliani sono una vera opera d'arte.
3 ☐

Le tombe dei re d'Italia si trovano in un antico tempio romano.
5 ☐

Le sculture dell'artista Benedetto Antelami sono un capolavoro.
4 ☐

a Basilica di San Francesco

b Battistero di Parma

c Duomo di Cefalù

d Pinacoteca di Brera

e Pantheon a Roma

Fare previsioni

1 (2·32) Ascolta e ripeti.

- Probabilmente ti sposerai entro l'anno.
- Prevedo che farai un viaggio.
- Succederà una cosa bellissima.
- Tutta la tua vita cambierà.
- Farai un'esperienza indimenticabile.

2 Cosa succederà? Guarda le immagini e fa' delle previsioni.

I nostri guadagni aumenteranno del 32%.

Fare promesse

3 (2·33) Ascolta e ripeti.

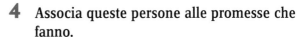

- Da lunedì non andrò più a letto tardi!
- Mamma, ti prometto che da oggi studierò di più!
- Prometto che ti scriverò presto.
- Non lo farò più! Promesso!
- Ti prometto che non userò più il tuo telefonino senza permesso!
- Ti diamo la nostra parola che ti aiuteremo.

4 Associa queste persone alle promesse che fanno.

a Non arriverò più in ritardo.
b Mangerò meno dolci.
c Non dirò più bugie!
d Metterò in ordine la mia stanza.

5 Fa' delle promesse.

1 Ai tuoi genitori:
_____

2 Al tuo insegnante di italiano:
_____

3 Al tuo compagno di banco:
_____

4 Al tuo migliore amico:
_____

Fare progetti

6 (2-34) **Ascolta e ripeti.**

> Che progetti hai per le vacanze?

> Mi riposerò e farò sport. E tu cosa farai?

> Cosa farai dopo le superiori?

> Prima andrò all'università e dopo farò un master all'estero.

> Che programmi avete per il fine settimana?

> Andremo a visitare il Museo della Scienza.

> Cosa farai da grande?

> Farò lo scultore.

7 Guarda le immagini e immagina i progetti di questi ragazzi.

1

La prossima estate...

2

Il prossimo fine settimana...

3

Da grande Alberto...

4

Dopo la lezione...

8 In coppia. A turno, chiedi al compagno i suoi progetti.

> Cosa farai...

> E tu, che progetti hai...

- dopo la lezione.
- questa sera.
- il prossimo fine settimana.
- per le prossime vacanze.
- dopo le scuole medie.
- da grande.

Domandare e dire che tempo fa

9 (2-35) **Ascolta e ripeti.**

> Com'è il tempo oggi?

> È un po' nuvoloso ma nel pomeriggio ci sarà il sole.

> È bello.

> È sereno e fa caldo.

> Che tempo fa?

> Piove e tira vento.

> È davvero brutto. Il cielo è grigio e fuori città c'è la nebbia.

> Che tempo c'è in montagna?

> Nevica e fa freddo. La temperatura è diminuita.

> C'è il temporale.

10 Guarda le immagini e scrivi che tempo fa.

1 **2**

3

4

_____ _____

11 Guarda l'immagine e prevedi come sarà il tempo domani.

I verbi impersonali

I verbi che indicano fenomeni atmosferici sono impersonali e si coniugano solo alla 3ª persona singolare.

piovere → piove   gelare → gela
nevicare → nevica   tuonare → tuona
grandinare → grandina

Sono usati in modo impersonale anche i verbi 'fare' ed 'essere' seguiti da un nome o da un aggettivo riferiti a situazioni climatiche o atmosferiche.

- *Fa freddo, fa caldo.*
- *È bel tempo, è brutto tempo, c'è vento, c'è il temporale, ci sono i lampi, ci sono i tuoni.*

1 Completa le frasi con i verbi o con le espressioni adatte.

1 Quando _____ così forte, attenzione ai vetri.

2 Prendi l'ombrello, fuori _____.

3 Appena _____, prendiamo lo slittino.

4 Quando _____, facciamo un picnic.

5 Copriti bene, fuori _____.

6 Quando _____, il gatto si nasconde sotto il letto.

2 Rispondi alle domande usando i verbi e le espressioni che indicano le situazioni atmosferiche.

1 Perché ti metti sciarpa e cappello?
_____

2 Perché non esci?
_____

3 Perché accendi l'aria condizionata?
_____

4 Perché ti metti l'impermeabile?
_____

5 Perché chiudi le finestre?
_____

6 Perché accendi il caminetto?
_____

Il futuro semplice

	Parlare	Leggere	Aprire
io	parlerò	leggerò	aprirò
tu	parlerai	leggerai	aprirai
lui/lei	parlerà	leggerà	aprirà
noi	parleremo	leggeremo	apriremo
voi	parlerete	leggerete	aprirete
loro	parleranno	leggeranno	apriranno

Il futuro esprime un'azione che deve ancora accadere.
È usato, soprattutto, quando si programmano attività, si fanno previsioni e promesse.

- *Domani, dopo la scuola, **andrò** al cinema con Elisa.*
- *Non ho studiato, credo che **prenderò** un brutto voto.*
- *Ti **chiamerò** presto!*

Alcuni verbi hanno una formazione irregolare. Ecco qualche esempio:

andare → andrò   rimanere → rimarrò
avere → avrò   sapere → saprò
bere → berrò   vedere → vedrò
essere → sarò   venire → verrò
dovere → dovrò   vivere → vivrò
potere → potrò   volere → vorrò

3 Guarda queste immagini che rappresentano possibili situazioni future e completa le frasi.

Nel futuro _____
_____.   sulla luna.

_____   _____
al posto nostro.   soltanto pillole.

4 **Completa le frasi.**

1 Poiché piove (io, rimanere) _____ a casa.

2 Quest'anno gli zii (venire) _____ a passare il Natale da noi.

3 Fai subito gli esercizi, così (tu, potere) _____ guardare i cartoni animati.

4 Non so se Anna Maria (volere) _____ alzarsi presto domani mattina.

5 Domani alle 10 (voi, sapere) _____ i risultati degli esami.

6 Ti prometto che (noi, andare) _____ in vacanza a La Maddalena.

Il periodo ipotetico della realtà

Questo tipo di periodo ipotetico è usato per indicare azioni facilmente realizzabili.
È composto da due frasi: una esprime la condizione e l'altra indica la conseguenza.
L'ordine delle due frasi è intercambiabile.

Se fai tardi, non ti aspetto.
Non ti aspetto, se fai tardi.

se fai tardi = condizione
non ti aspetto = conseguenza

Quando si tratta di un'azione presente si possono avere due forme:

- 'se' + presente indicativo e presente indicativo:
  Se fuori nevica, non esco.

- 'se' + presente indicativo e imperativo:
  Se vuoi uscire, finisci i compiti.

Quando, invece, si tratta di un'azione futura si hanno le seguenti forme:

- 'se' + presente indicativo e presente indicativo:
  Se domani andiamo in centro, compro una borsa.

- 'se' + presente indicativo e futuro semplice:
  Se vieni a trovarmi questa estate, andremo tutti i giorni in spiaggia.

- 'se' + futuro semplice e futuro semplice:
  Se andremo a Trieste, visiteremo il castello di Miramare.

5 **Guarda le immagini che indicano le situazioni atmosferiche e scrivi cosa farai, usando le frasi nel riquadro.**

fare un pupazzo di neve ▪ andare al parco giochi ▪ non poter giocare in giardino ▪ per sicurezza prendere l'ombrello ▪ restare col cane che ha paura

1 ▢ _____
2 ▢ _____
3 ▢ _____
4 ▢ _____
5 ▢ _____

'Anche se'

'Anche se' introduce una situazione di ostacolo a un'azione che, però, si realizza lo stesso.

6 **Scrivi le frasi con gli elementi dati, utilizzando 'anche se'.**

1 Domani voi (partecipare) alla maratona (piovere).

_____

2 Sandro mi (fare) il regalo (non poter venire) alla festa.

_____

3 Noi vi (venire) a trovare in campagna (non avere) la macchina.

_____

4 Tu (uscire) comunque con gli amici (dover fare) molti compiti.

_____

5 Mara e Aldo non (partecipare) al concorso (essere) molto preparati.

_____

6 Io (finire) comunque di leggere il libro (avere) sonno.

_____

7 Noi (visitare) la Pinacoteca di Brera il biglietto (costare) molto.

_____

8 Yuri e Rudy non (riuscire) a prendere l'aereo (andare) di corsa in aeroporto.

_____

Competenza linguistica

1 Completa il testo con le parole nel riquadro.

aprire ■ contemporaneamente ■ futuro ■ invierà ■ progetto ■ tecnologiche ■ università ■ velocemente

LA SCUOLA DEL FUTURO:
il progetto 'Classe Star Trek'

Grazie alle aule del (1) _____ fra pochi anni gli studenti diranno addio a penne e gesso per la lavagna. In un' (2) _____ americana, infatti, gli esperti stanno lavorando al progetto 'Classe Star Trek', che, grazie alle innovazioni (3) _____, permetterà di sostituire i banchi con intelligenti piani multi-touch che potranno essere usati (4) _____ da più persone. I banchi saranno collegati in rete a uno Smart Board da dove l'insegnante (5) _____ compiti diversi agli studenti o a gruppi di studenti; sarà anche possibile inviare le risposte di un gruppo al gruppo successivo che potrà così aggiungere consigli e suggerimenti, e (6) _____ una discussione di classe.
Già 400 scuole in America hanno sperimentato questo (7) _____ e i risultati sono stati sorprendenti: i ragazzi che hanno usato i nuovi banchi hanno capito e imparato la matematica più (8) _____ e con maggiore interesse.

Ascoltare

2 (2-36) Ascolta e scrivi le previsioni del tempo in Europa.

1 Spagna: _____

2 Europa centrale: _____

3 Isole britanniche: _____

4 Italia e Grecia: _____

5 Scandinavia: _____

6 Regioni balcaniche: _____

Leggere

3 Leggi il testo e rispondi alle domande.

Visitare Napoli

ALBERGHI
OFFERTE
EVENTI

Ecco un interessante itinerario guidato che permetterà di visitare Napoli a piedi e in un solo giorno, per vedere i monumenti e i luoghi più interessanti. Partiremo dalla stazione centrale e, in pochi minuti, raggiungeremo corso Umberto, la famosa via dello shopping. Da qui arriveremo alla cattedrale dove potremo visitare anche la suggestiva basilica sotterranea. Andremo poi a vedere i mercatini natalizi, fra i più belli e famosi del mondo, aperti tutto l'anno: potrete ammirare e comprare le incredibili statuette per il presepe, che rappresentano i protagonisti della politica, dello sport e dello spettacolo. Chi lo desidera, potrà a questo punto scendere nella Napoli sotterranea e camminare lungo le misteriose gallerie ricche di storia e leggende. Il nostro itinerario proseguirà con la visita alla Cappella Sansevero per ammirare la magnifica statua del *Cristo velato*. Da qui, attraverso via Toledo, si arriverà alla famosa Galleria Umberto e, infine, all'imponente Maschio Angioino, il castello costruito nel Medioevo dai sovrani francesi. Ultimo punto di interesse sarà la maestosa piazza del Plebiscito, dove i napoletani si ritrovano per gli spettacoli e le manifestazioni più importanti organizzati in città.

⌂ HOME ▶

1 Quanto dura questo tour?

_____

2 Perché corso Umberto è famoso?

_____

3 Dove si trova la basilica sotterranea?

_____

4 Cosa vendono nei mercatini natalizi?

_____

5 Cosa c'è nella Napoli sotterranea?

_____

6 Cosa fanno i napoletani in piazza Plebiscito?

_____

Scrivere

4 Un tuo amico passerà due giorni di vacanza nella tua regione e ti ha inviato un'email per chiedere aiuto. Scrivi un piccolo programma con le indicazioni delle cose interessanti da fare.

Parlare

5 Tu e un amico volete passare il fine settimana insieme, però le previsioni del tempo dicono che pioverà ininterrottamente. Discutete sulle possibili cose da fare.

Il Paese delle meraviglie

A partire dal XVII secolo l'Italia è stata uno dei Paesi più visitati durante il Ground Tour, il viaggio che i nobili del Nord Europa facevano per vedere le meraviglie dell'antichità. Da allora gli splendidi monumenti che si trovano lungo tutta la penisola non hanno mai smesso di attirare turisti da tutto il mondo.

La Sicilia nell'antichità è stata una colonia greca, ne sono testimonianza i templi di Agrigento e il magnifico teatro di Siracusa. Ma è nel Medioevo che l'isola ha vissuto un periodo di grande splendore artistico, grazie al regno normanno che ha realizzato opere monumentali, come il duomo di Monreale e la Cappella Palatina a Palermo, ricca di mosaici bizantini e di dipinti in stile arabo.

La Sicilia dai Greci ai Normanni

Le due città romane distrutte dall'eruzione del Vesuvio nel 79 d.C. sono oggi mete turistiche di grande interesse. Gli scavi, infatti, hanno riportato alla luce ville e costruzioni antiche ben conservate, che permettono di vedere i centri cittadini così come erano in epoca romana.

Gli scavi di Pompei ed Ercolano

Dalle sue origini fino a oggi, Roma è sempre stata un importante centro politico, religioso e culturale, tanto da diventare un museo a cielo aperto. Fra i moltissimi resti del passato, primi fra tutti sono l'Anfiteatro Flavio, conosciuto come Colosseo, e i Fori imperiali; non meno importanti sono l'Ara Pacis (altare dedicato all'imperatore Augusto), la Domus Aurea (casa di Nerone) e il Pantheon. Roma però è soprattutto rinascimentale e barocca: i papi, infatti, in questi periodi abbelliscono la città con chiese, palazzi e fontane monumentali.

Roma, la città eterna

Il grande sviluppo artistico e culturale di Firenze inizia nel Medioevo e continua per tutto il Rinascimento. In questo lungo periodo la città si arricchisce di splendidi monumenti come Palazzo Vecchio, il duomo con il battistero e il campanile di Giotto, il *David* di Michelangelo e la Galleria degli Uffizi.

Gli splendori di Firenze

Milano è sempre stata in continua evoluzione. Già in epoca imperiale era un famoso centro di cultura cristiana, grazie al vescovo Ambrogio, a cui i milanesi hanno dedicato una delle basiliche più antiche d'Italia. Nel Rinascimento è stata molto attiva sotto la famiglia Sforza, che ha costruito il castello e ha ospitato Leonardo da Vinci, autore dell'*Ultima cena*. Sempre innovativa, nel XIX secolo Milano ha sperimentato l'arte liberty con la costruzione in vetro e ferro della Galleria Vittorio Emanuele II e ha concluso, dopo cinque secoli di lavori, il duomo dedicato alla Madonna.

Milano, la città ambrosiana

La città, circondata da grandi mura, ospita la famosa chiesa di Sant'Antonio, di epoca medievale, ancora oggi molto visitata sia per la sua bellezza sia per la sua importanza religiosa. Un altro piccolo tesoro è la cappella degli Scrovegni, decorata con gli affreschi di Giotto.

Padova, la città del Santo

Rispondi alle domande.

1 Conosci altri monumenti italiani famosi?
2 Quali sono i monumenti storici più importanti del tuo Paese?
3 Quali sono, secondo te, i monumenti più famosi del mondo?

FILMATO DAL WEB

CLICCA E GUARDA

Le previsioni del tempo in un telegiornale nazionale.

www.elionline.com/amiciditalia

1 Completa le frasi con la costruzione 'stare per + infinito'.

1 Corri, è tardissimo! Il treno _____ _____ !

2 Il professore è già in classe, la lezione _____ .

3 Guarda che nuvole nere, _____ _____ .

4 Andiamo alla fermata, l'autobus _____ _____ .

5 Che noia! Fortunatamente questo film _____ .

6 Marco ha già aperto la porta, _____ _____ .

Punti _____ 12

2 Riscrivi queste frasi al passato prossimo.

1 Non dobbiamo fare la spesa.

_____
_____

2 I ragazzi domenica possono dormire fino a tardi.

_____
_____

3 Sabato potete andare in centro.

_____
_____

4 Lidia deve andare in farmacia.

_____
_____

5 Vuoi partire per l'Inghilterra.

_____
_____

6 Che cosa vuoi per cena?

_____
_____

Punti _____ 6

3 Commenta le frasi con un'espressione di rammarico, contentezza o sollievo.

1 Ho vinto un viaggio alle Maldive.

_____

2 Mi hanno regalato un tablet.

_____

3 Finalmente ho preso un bellissimo voto in chimica.

_____

4 Non posso uscire con gli amici.

_____

5 Con questo caldo non riesco a studiare.

_____

6 Il mio gruppo preferito farà un concerto nella mia città.

_____

Punti _____ 6

4 Scrivi il nome di questi strumenti musicali.

1

2

_____ _____

3

4

_____ _____

5

6

_____ _____

Punti _____ 6

5 Completa il testo con i verbi nel riquadro, coniugandoli all'imperfetto.

> alzarsi ▪ avere ▪ divertirsi ▪ essere ▪ fare
> ▪ finire ▪ prendere ▪ tornare ▪ uscire ▪ vivere

Io da piccolo (1) _____ a Napoli.
La nostra casa (2) _____ grande e bella,
(noi) (3) _____ anche un giardino
con tanti alberi.
(Io) (4) _____ la mattina presto e
(5) _____ l'autobus per andare a
scuola. Dopo la lezione (6) _____ a casa
per il pranzo e nel pomeriggio (7) _____
i compiti. Quando (8) _____ di studiare
(9) _____ in giardino e (10) _____
con i miei amici.

Punti 20

6 Guarda le immagini e scrivi cosa faranno domani Eugenia e Valerio.

_____

_____

_____

_____

_____

_____

Punti 12

7 Abbina le due parti delle frasi.

1 ☐ Se non prendi l'ombrello
2 ☐ Se passo l'esame di inglese
3 ☐ Se non volete andare oggi in pizzeria
4 ☐ Se hai fame
5 ☐ Se domani il tempo sarà bello
6 ☐ Se l'autobus non arriva
7 ☐ Se la musica ti dà fastidio
8 ☐ Se verrai a casa mia

a ci possiamo andare domani.
b tornerò a casa a piedi.
c abbasso un po' il volume.
d conoscerai la mia famiglia.
e ti bagnerai tutto!
f vado a studiare un anno in Inghilterra.
g mangia qualcosa!
h potremo fare una gita.

Punti 8

8 (2-37) Ascolta le previsioni del tempo e disegna sulla cartina i simboli degli agenti atmosferici.

Punti 10

> Calcola il punteggio totale
> e verifica con l'insegnante.

> **Punti** .... / 80

Il sogno di Arlecchino

Arlecchino: Voglio riposare, sono così stanco… Dormirei una settimana intera!

Si sdraia sul divano e si addormenta.
Colombina e Brighella entrano in scena.

Colombina: Sveglia Arlecchino!

Arlecchino: *(ancora con gli occhi chiusi)* Non posso, non vedi che sono impegnato…

Colombina: Ma ti devo dire una cosa importantissima! È arrivata adesso la notizia!

Brighella: Congratulazioni! Sono contento per te!

Arlecchino: Ma di che diavolo state parlando? Congratulazioni?!

Brighella: Ti hanno scelto come ambasciatore Unicef!

Arlecchino: Sì, e magari sono anche diventato presidente della Repubblica…

Colombina: Guarda che è vero! Ti hanno scelto perché sei divertente e fai ridere i bambini.

Brighella: Sei diventato una persona importante!

Arlecchino: Davvero? Che bello! Adesso tutti mi dovranno rispettare.

Pantalone: Ecco qui il mio caro ambasciatore Arlecchino…

Arlecchino: E da quando sono diventato 'caro'?

Pantalone: Ma da sempre! È una vita che ci conosciamo!

Arlecchino: Sì, ed è una vita che mi bastoni. *(Arlecchino fa il gesto del picchiare)* Bene, grazie per l'informazione, ora torno a dormire.

Colombina: Come torni a dormire?! Non ti hanno scelto per dormire ma per aiutare i bambini.

Pulcinella entra in scena lamentandosi.

Pulcinella: Povero me, muoio di fame. Aiutatemi, per favore.

Pantalone: Tu muori sempre di fame… non è una novità…

Arlecchino: Pantalone! Tu hai sempre la borsa piena di soldi, eppure sei un avaraccio, mangi poco per risparmiare. Pulcinella invece mangia poco perché non è ricco come te! Che qualcuno di buon cuore vada a prendere un bel piatto di spaghetti al pomodoro per l'amico Pulcinella.

Brighella esce di scena e torna con un piatto fumante di spaghetti.

Pulcinella: Ma che bello! Che bontà!

Arlecchino: *(rivolto a Pantalone)* Hai visto? Basta poco per far felice qualcuno. Una cosa è sicura: l'Unicef non sceglierà mai te, caro ambasciatore dei miei stivali…

Pantalone: Come ambasciatore dei tuoi stivali?

Arlecchino: Sì, l'unica cosa che puoi fare è essere ambasciatore di quello che commerci: scarpe, stivali, cinture e le belle borse che ti piace riempire di soldi… *(Arlecchino indica la borsa di soldi che Pantalone ha attaccata alla cintura)* Anzi, guarda un po', io ho una scarpa bucata e il povero Brighella ha i piedi a forma di pinna perché ogni volta che piove entra l'acqua nelle sue scarpe e si bagnano tutti. *(Arlecchino muove i piedi come se al posto delle scarpe avesse le pinne)*

Pantalone: E allora?

Arlecchino: Prima mi hai chiamato 'amico' e non t'interessa sapere se gli amici vanno in giro con le scarpe bucate? Che amico sei?

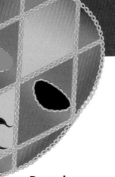

Pantalone: E va bene. Brighella, va' alla mia bottega e prendi due paia di scarpe, uno per te e uno per Arlecchino.

Brighella, tutto contento, esce di scena. Entrano Capitan Spaventa, con aria spavalda, e Leandro, pavoneggiandosi.

Capitan Spaventa: Chi ha parlato di scarpe? Io so tutto in fatto di moda, anzi sono io che faccio moda!

Leandro: Veramente la fanno gli stilisti... tu al massimo la segui. Sono appena stato a Parigi dove ho visto una sfilata insieme ad alcuni amici: una cosa davvero chic!

Capitan Spaventa: Tu e i tuoi amici parigini... Sono i veri uomini come me, persone coraggiose, a essere esempio di eleganza.

Arlecchino: Attento! Sopra la tua testa! È appena calato dal soffitto un ragno gigante e peloso!

Capitan Spaventa: Dove? Oddio un ragnone! Aiuto! Prendetelo!

Arlecchino: E tu saresti l'uomo coraggioso? L'esempio da seguire? Invece di perdere tempo tutti e due con la moda, pensando alla vostra eleganza, non sarebbe meglio preoccuparvi di chi non ha vestiti da mettersi?

Leandro: La gente di classe, come me, non pensa a queste cose. Le lascio agli altri, non ho tempo per queste sciocchezze io... *(esce infastidito)*

Capitan Spaventa: Beh Arlecchino, forse hai ragione. Del resto, una persona valorosa come me deve essere al servizio della gente bisognosa.

Esce di scena con aria fiera e passo militare, gli altri lo seguono imitando la sua camminata per prenderlo in giro. Resta solo Arlecchino.

Arlecchino: Fare l'ambasciatore Unicef stanca. Mi metto un attimo sul divano e mi riposo.

Si sdraia sul divano e si addormenta. Colombina entra in scena con passo deciso

Colombina: Ecco il grande lavoratore! Arlecchino! Svegliati!

Arlecchino: *(si sveglia di soprassalto)* Sì?! Dove devo andare? In Africa c'è bisogno di me?

Colombina: No, veramente c'è bisogno di te qui! *(gli allunga lo spazzolone, lo straccio e il secchio)* Pulisci!

Arlecchino: Ma come? Io sono ambasciatore Unicef...

Colombina: Sveglia pigrone! Al lavoro!

Arlecchino: Allora è stato tutto un sogno? *(con aria triste)* Ero così contento di essere ambasciatore Unicef, di aiutare i bambini...

Colombina: *(cambia tono: non è più severa ma dolce)* Ma tu sei sempre d'aiuto ai bambini: li fai divertire e ridere. Trasmettere il buon umore è, anche questa, una missione importante. *(rivolta al pubblico)* E voi che ne dite?

Il sipario si chiude.

Glossario

In questo glossario trovi le parole nuove che hai imparato in ogni unità. Sono elencate in ordine alfabetico e, per ricordarle meglio, puoi scrivere la traduzione nella tua lingua sulle righe vicino alle parole.

 Abbreviazioni

agg.	=	aggettivo
avv.	=	avverbio
cong.	=	congiunzione
inter.	=	interiezione
n.f.	=	nome femminile
n.m.	=	nome maschile
plur.	=	plurale
prep.	=	preposizione
pron.	=	pronome
rifl.	=	riflessivo
v.	=	verbo

Unità 1

annunciarsi *v.rifl.* _____

attraversare *v.* _____

chiesa *n.f.* _____

comunale *agg.* _____

corso *n.m.* _____

destra *n.f.* _____

dritto *avv.* _____

edicola *n.f.* _____

fermata *n.f.* _____

ghiaccio *n.m.* _____

girare *v.* _____

incrocio *n.m.* _____

indicazioni stradali *n.f.plur.* _____

municipio *n.m.* _____

pattinaggio *n.m.* _____

rotonda *n.f.* _____

semaforo *n.m.* _____

sinistra *n.f.* _____

strisce pedonali *n.f.plur.* _____

superare *v.* _____

viale *n.m.* _____

vicolo *n.m.* _____

Unità 2

allenamento *n.m.* _____

arco *n.m.* _____

automobilismo *n.m.* _____

bocca *n.f.* _____

braccio *n.m.* _____

calcetto *n.m.* _____

canottaggio *n.m.* _____

ciclismo *n.m.* _____

ciglio *n.m.* _____

collo *n.m.* _____

corsa *n.f.* _____

curiosità *n.f.* _____

dato che *cong.* _____

dirigere *v.* _____

dito *n.m.* _____

equitazione *n.f.* _____

faccia *n.f.* _____

fronte *n.f.* _____

gamba *n.f.* _____

ginocchio *n.m.* _____

gomito *n.m.* _____

labbro *n.m.* _____

mano *n.f.* _____

mento *n.m.* _____

morire *v.* _____

motociclismo *n.m.* _____

naso *n.m.* _____

nuoto *n.m.* _____

odorare *v.* _____

orecchio *n.m.* _____

pallanuoto *n.f.* _____

panchina *n.f.* _____

partita *n.f.* _____

pattinare *v.* _____

paura *n.f.* _____

perdere *v.* _____

pioggia *n.f.* _____

pugilato *n.m.* _____

raffreddore *n.m.* _____

salire *v.* _____

salto *n.m.* _____

scherma *n.f.* _____

scusa *n.f.* _____

sedersi *v.rifl.* _____

sopracciglio *n.m.* _____

squadra *n.f.* _____

tifare *v.* _____

tiro *n.m.* _____

toccare *v.* _____

tremare *v.* _____

vincere *v.* _____

visto che *cong.* _____

Unità 3

adorare *v.* _____

appuntamento *n.m.* _____

botteghino *n.m.* _____

cartone animato *n.m.* _____

coincidenza *n.f.* _____

colonna sonora *n.f.* _____

commedia *n.f.* _____

compositore *n.m.* _____

costumista *n.m. e f.* _____

delusione *n.f.* _____

drammatico *agg.* _____

eccezionale *agg.* _____

entusiasmo *n.m.* _____

fantascienza *n.f.* _____

fantasma *n.m.* _____

frullato *n.m.* _____

interprete *n.m. e f.* _____

interrogatorio *n.m.* _____

intitolarsi *v.rifl.* _____

introdurre *v.* _____

locandina *n.f* _____

meraviglia *n.f.* _____

montatore *n.m.* _____

nascere *v.* _____

personaggio *n.m.* _____

poema *n.m.* _____

poliziesco *agg.* _____

produttore *n.m.* _____

regista *n.m. e f.* _____

sala *n.f.* _____

sceneggiatore *n.m.* _____

scenografo *n.m.* _____

schermo *n.m.* _____

scoprire *v.* _____

sentimentale *agg.* _____

simulazione *n.f.* _____

spettacolare *agg.* _____

spettacolo *n.m.* _____

spettatore *n.m.* _____

squillare *v.* _____

tema *n.m.* _____

teorema *n.m.* _____

titolo *n.m.* _____

tradurre *v.* _____

uscita di sicurezza *n.f.* _____

Unità 4

accendere *v.* _____

alimentari *n.m.pl.* _____

arachide *n.f.* _____

assegno *n.m.* _____

bancomat *n.m.* _____

barattolo *n.m.* _____

bottiglia *n.f.* _____

budino *n.m.* _____

burro *n.m.* _____

carrello *n.m.* _____

carta di credito *n.f.* _____

chilo *n.m.* _____

confezione *n.f.* _____

contante *n.m. e agg.* _____

decidere *v.* _____

etto *n.m.* _____

farina *n.f.* _____

focaccia *n.f.* _____

formaggio *n.m.* _____

GLOSSARIO

fragola *n.f.* _____

frittella *n.f.* _____

fruttivendolo *n.m.* _____

gelataio *n.m.* _____

grammo *n.m.* _____

ingrediente *n.m.* _____

insalata *n.f.* _____

lattaio *n.m.* _____

lattina *n.f.* _____

limone *n.m.* _____

litro *n.m.* _____

maionese *n.f.* _____

mela *n.f.* _____

mozzarella *n.f.* _____

olio *n.m.* _____

oliva *n.f.* _____

pacco *n.m.* _____

panettiere *n.m.* _____

pasticciere *n.m.* _____

pasticcino *n.m.* _____

pera *n.f.* _____

pesce *n.m.* _____

pescivendolo *n.m.* _____

pezzo *n.m.* _____

porzione *n.f.* _____

riso *n.m.* _____

rompere *v.* _____

sacchetto *n.m.* _____

salato *agg.* _____

scatola *n.f.* _____

scorza *n.f.* _____

spicci *n.m. plur.* _____

tubetto *n.m.* _____

uovo *n.m.* _____

vasetto *n.m.* _____

vongola *n.f.* _____

Unità 5

albero *n.m.* _____

Babbo Natale *n.m.* _____

bandiera *n.f.* _____

Befana *n.f.* _____

Capodanno *n.m.* _____

Carnevale *n.m.* _____

colomba *n.f.* _____

congratulazioni *n.f.plur.* _____

coniglietto *n.m.* _____

cuore *n.m.* _____

Epifania *n.f.* _____

felicitazioni *n.f.plur.* _____

fuoco d'artificio *n.m.* _____

maschera *n.f.* _____

mimosa *n.f.* _____

Natale *n.m.* _____

neve *n.f.* _____

Pasqua *n.f.* _____

presepe *n.m.* _____

pupazzo *n.m.* _____

racchetta *n.f.* _____

ricetta *n.f.* _____

scherzo *n.m.* _____

tombola *n.f.* _____

torrone *n.m.* _____

veglione *n.m.* _____

Unità 6

addormentarsi *v. rifl.* _____

aquila *n.f.* _____

bastoncino *n.m.* _____

bob *n.m.* _____

borraccia *n.f.* _____

casco *n.m.* _____

cervo *n.m.* _____

ciaspola *n.f.* _____

cuocere *v.* _____

dividere *v.* _____

funivia *n.f.* _____

gatto delle nevi *n.m.* _____

giacca a vento *n.f.* _____

lepre *n.f.* _____

lupo *n.m.* _____

marmotta *n.f.* _____

motoslitta *n.f.* _____

nascondere *v.* _____

offerta *n.f.* _____

orso *n.m.* _____

pattino *n.m.* _____

pista *n.f.* _____

prenotare *v.* _____

rifugio *n.m.* _____

scarpone *n.m.* _____

scendere *v.* _____

scoiattolo *n.m.* _____

seggiovia *n.f.* _____

sentiero *n.m.* _____

settimana bianca *n.f.* _____

slittino *n.m.* _____

spendere *v.* _____

tasso *n.m.* _____

tuta *n.f.* _____

volpe *n.f.* _____

partecipare *v.* _____

pirata *n.m.* _____

prova *n.f.* _____

provino *n.m.* _____

rappresentazione *n.f.* _____

riflettore *n.m.* _____

riservare *v.* _____

ruolo *n.m.* _____

scattare *v.* _____

selezione *n.f.* _____

sembrare *v.* _____

sfilata *n.f.* _____

slparlo *n.m.* _____

sirena *n.f.* _____

stagione teatrale *n.f.* _____

stella filante *n.f.* _____

sufficiente *agg.* _____

tecnico *n.m.* _____

tragedia *n.f.* _____

Unità 7

abbonamento *n.m.* _____

applauso *n.m.* _____

atto *n.m.* _____

bastare *v.* _____

bisogno *n.m.* _____

buffo *agg.* _____

carro *n.m.* _____

cartellone *n.m.* _____

castagnola *n.f.* _____

compagnia teatrale *n.f.* _____

copione *n.m.* _____

coriandolo *n.m.* _____

costume *n.m.* _____

dama *n.f.* _____

extraterrestre *n.m.* _____

fata *n.f.* _____

intervallo *n.m.* _____

lingua di Menelik *n.f.* _____

mancare *v.* _____

mettere in scena *v.* _____

necessario *agg.* _____

palcoscenico *n.m.* _____

parere *v.* _____

Unità 8

accidenti *inter.* _____

accompagnare *v.* _____

basso *n.m.* _____

batteria *n.f.* _____

cantare *v.* _____

canzone *n.f.* _____

chitarra *n.f.* _____

contrabbasso *n.m.* _____

corda *n.f.* _____

coro *n.m.* _____

danza *n.f.* _____

detestare *v.* _____

fastidio *n.m.* _____

fiato *n.m.* _____

fisarmonica *n.f.* _____

flauto *n.m.* _____

impegno *n.m.* _____

insofferenza *n.f.* _____

mannaggia *inter.* _____

orchestra *n.f.* _____

ottimo *agg.* _____

GLOSSARIO

passione *n.f.* _____

peccato *n.m.* _____

percussione *n.f.* _____

pianoforte *n.m.* _____

poiché *cong.* _____

rabbia *n.f.* _____

sassofono *n.m.* _____

siccome *cong.* _____

sopportare *v.* _____

soprano *n.m.* _____

spartito *n.m.* _____

tamburo *n.m.* _____

tastiera *n.f.* _____

tenore *n.m.* _____

tromba *n.f.* _____

violino *n.m.* _____

Unità 9

acquazzone *n.m.* _____

affascinante *agg.* _____

affresco *n.m.* _____

anfiteatro *n.m.* _____

arco *n.m.* _____

aumento *n.m.* _____

bagnarsi *v. rifl.* _____

basilica *n.f.* _____

battistero *n.m.* _____

campanile *n.m.* _____

coperto *agg.* _____

diluvio *n.m.* _____

diminuzione *n.f.* _____

dipinto *n.m.* _____

duomo *n.m.* _____

fontana *n.f.* _____

gelare *v.* _____

grandinare *v.* _____

impermeabile *n.m.* _____

monumento *n.m.* _____

mosaico *n.m.* _____

mura *n.f. plur.* _____

nebbia *n.f.* _____

nevicare *v.* _____

nuvoloso *agg.* _____

passerella *n.f.* _____

pianura *n.f.* _____

pinacoteca *n.f.* _____

piovere *v.* _____

ponte *n.m.* _____

previsione *n.f.* _____

prigione *n.f.* _____

progetto *n.m.* _____

promessa *n.f.* _____

rinunciare *v.* _____

schiarita *n.f.* _____

scultura *n.f.* _____

sereno *agg.* _____

succedere *v.* _____

temperatura *n.f.* _____

tempio *n.m.* _____

temporale *n.m.* _____

tomba *n.f.* _____

tuonare *v.* _____

vaporetto *n.m.* _____

vento *n.m.* _____

vetreria *n.f.* _____

Regioni italiane

Continuiamo il nostro viaggio in alcune regioni italiane. Consulta anche le cartine delle pagine 143 e 144.

La Liguria è una regione quasi del tutto montagnosa, eccetto la lunga striscia di terra che si trova lungo la costa, famosa per località balneari come Porto Venere, Portofino e Sanremo, città del famoso festival della musica italiana. Il capoluogo, Genova, si affaccia su un golfo e ha un porto molto frequentato da navi commerciali e da crociera. Non a caso Cristoforo Colombo, che nel 1492 ha scoperto l'America, era proprio genovese. Una zona turistica di grande attrazione è quella delle Cinque Terre, cinque paesini di particolare bellezza arroccati sul mare, tanto da essere riconosciuti dall'UNESCO come Patrimonio dell'umanità. Ma la Liguria è forse ancora più nota per il delizioso pesto genovese, un condimento per la pasta a base di basilico, pinoli, parmigiano e pecorino, che oggi si può trovare nei supermercati delle grandi metropoli di tutto il mondo. Altri prodotti tipici locali sono la focaccia alla genovese, una specie di pizza alta e soffice, e la farinata di zucca, una torta dal gusto dolce-salato.

Riomaggiore

Spaghetti al pesto

Emilia Romagna

L'Emilia Romagna si estende fra la Pianura Padana e gli Appennini, ha pertanto un territorio per metà pianeggiante e per metà collinare o montuoso. Il capoluogo è Bologna, dove, nel 1088, è nata la prima università del mondo occidentale. In questa regione molte città sono fiorite nel Medioevo e nel Rinascimento e sono perciò ricche di importanti monumenti storici. Ferrara è stata la sede della corte della famiglia Estense e ancor oggi il centro cittadino è dominato dall'imponente castello che risale al XIV secolo. A Ravenna, invece, si possono ammirare alcune chiese decorate da preziosi mosaici, eredità lasciata dalla dominazione bizantina. Rimini, poi, è uno dei luoghi turistici estivi più frequentato dai giovani, sia per le spiagge sia per la vita notturna: in breve, un posto dove la parola d'ordine è 'divertimento'.

In pianura ci sono molte cooperative agricole e allevamenti, i cui prodotti, primo fra tutti il formaggio parmigiano, sono conosciuti ovunque nel mondo. Fra le delizie gastronomiche è da ricordare, inoltre, la pasta fatta in casa, come le tagliatelle, le lasagne e i tortellini. Ma l'Emilia è famosa anche per i motori: Ferrari, Maserati, Lamborghini, Ducati... auto e moto simbolo di una terra che sa unire tradizione e modernità.

Mosaici di San Vitale, Ravenna

Firenze

Toscana

La Toscana è una delle regioni d'Italia più famose nel mondo e anche la più visitata. Culla della lingua italiana, è stata la patria di grandi scrittori e artisti come Dante, Petrarca, Boccaccio, Leonardo, Botticelli e Michelangelo. Molti stranieri, soprattutto inglesi e tedeschi, passano l'estate nella campagna toscana dove a volte comprano anche delle case per la villeggiatura. La Toscana soddisfa tutti i gusti: per chi ama la montagna c'è la zona appenninica, chi preferisce la campagna e la collina può soggiornare nelle colline del Chianti, famose per la coltivazione della vite, mentre gli appassionati del mare possono scegliere tra l'elegante Versilia o la selvaggia Maremma. Il capoluogo della regione è Firenze, una città d'arte fiorita nel Medioevo e nel Rinascimento sotto la famiglia Medici. Tra i tanti luoghi da visitare, oltre piazza della Signoria, ci sono palazzo Pitti, il giardino di Boboli e la Galleria degli Uffizi, che ospita meravigliose opere d'arte. Ma la Toscana è anche Siena, Lucca, Pisa e tante altre città storiche d'inestimabile fascino.

In ognuna di loro si svolgono manifestazioni di origine antica, in cui i partecipanti indossano costumi tradizionali. La Toscana è anche famosa per la cucina e per i dolci: i cantucci (tipici di Prato), i ricciarelli, a base di mandorle, e il panforte, con canditi e spezie (caratteristici di Siena).

L'Umbria è conosciuta anche col soprannome di 'cuore verde d'Italia'; è infatti situata al centro della penisola e ha un territorio collinare caratterizzato da una natura bellissima e intatta. È ricca di piccoli paesi di origine medievale, come Gubbio, Orvieto, Norcia, Todi, famosi non solo per la loro ospitalità ma anche per l'artigianato locale: qui, infatti, si producono ancora oggetti fatti a mano, in particolar modo di ceramica. Una delle città umbre più conosciute è Assisi, dove è nato san Francesco, visitata ogni anno da un gran numero di persone, attratte dall'arte e dalla spiritualità di questo luogo. Il capoluogo è Perugia, sede della prestigiosa università per stranieri frequentata da studenti di tutto il mondo. Qui c'è una delle più antiche industrie dolciarie d'Italia, la Perugina, che ha ideato *Eurochocolate*, la festa del cioccolato, un appuntamento tradizionale che si ripete con successo ogni anno. Terni è invece la città delle acciaierie, che sfruttano, per la produzione di energia, la vicina cascata delle Marmore. Oltre alle tradizionali manifestazioni di origine medievale, l'Umbria dal 1968 ospita a Spoleto il *Festival dei due mondi*, una serie di eventi di musica e teatro, e *Umbria jazz*, un evento internazionale che coinvolge più città della regione.

Basilica di San Francesco, Assisi

Umbria

La regione Marche è in parte montuosa, nella zona interna attraversata dall'Appennino umbro-marchigiano, e in parte pianeggiante, lungo la costa che si affaccia sul mar Adriatico. Il capoluogo è Ancona, dal cui porto partono navi dirette in Grecia e in Croazia. Ma la città più famosa è forse Urbino, dominata nel periodo medievale dalla famiglia dei Montefeltro, che abitavano lo splendido Palazzo ducale, dove attualmente ha sede la Galleria nazionale delle Marche. La città, oggi, è rinomata soprattutto per la sua università. Due

Loreto

Marche

Olive fritte all'ascolana

prodotti caratteristici di questa regione sono la carta di Fabriano e le fisarmoniche di Castelfidardo. D'estate molti turisti scelgono per le loro vacanze località balneari, come Fano, Senigallia e San Benedetto del Tronto, che uniscono al divertimento e al relax della spiaggia, il piacere della buona tavola. La cucina delle Marche è, infatti, molto varia e ricca di piatti di ogni genere. Tra i primi trionfano i 'vincisgrassi', simili alle lasagne, mentre fra i dolci sono assolutamente da provare gli gnocchetti di crema pasticcera impanati e fritti e il 'bostrengo', preparato con riso, miele e canditi. Nelle Marche sono nati personaggi importanti della cultura italiana, come il musicista Gioacchino Rossini, compositore dell'opera *Il barbiere di Siviglia*, e il poeta Giacomo Leopardi.

Fisarmonica

Abruzzo

L'Abruzzo è una regione prevalentemente montuosa, infatti, proprio qui si trovano il Gran Sasso d'Italia e la Maiella, i massicci più alti degli Appennini. Ma l'Abruzzo ha anche un altro primato: sotto il Gran Sasso si trova il laboratorio scientifico sotterraneo più grande del mondo, quello dell'Istituto nazionale di fisica nucleare.

Sull'Appennino abruzzese ci sono numerosi parchi nazionali, dove i lupi e gli orsi vivono protetti. Molti turisti ed escursionisti ogni anno visitano queste zone, approfittandone anche per assaggiare i prodotti tipici del luogo, come il 'parrozzo' e il 'pan dell'orso', due buonissimi dolci a base di farina di mandorle e ricoperti di cioccolato fondente, oppure gli ottimi confetti di Sulmona. La regione attira d'inverno anche gli sciatori che frequentano le numerose piste vicine al capoluogo, L'Aquila. In questa provincia sono molto importanti le coltivazioni delle patate e dello zafferano. Lungo la costa ci sono molte piacevoli e rilassanti stazioni balneari, meta turistica estiva per giovani e famiglie.

Il Molise è la regione più giovane d'Italia, poiché si è formata nel 1963, quando è stata divisa dall'Abruzzo. È una zona dove sono state rinvenute le più antiche testimonianze della presenza di ominidi in Italia, risalenti a 736.000 anni fa e oggi conservate al Museo Paleolitico di Isernia. All'epoca dei Romani, qui abitavano i Sanniti: i due popoli si sono spesso scontrati tra loro, infatti la storia parla di tre guerre vinte sempre dai Romani. A partire dal XIV secolo in Molise sono arrivati gruppi di albanesi e di croati in fuga dalle invasioni turche e ancora oggi in alcuni paesi sopravvivono le lingue di queste popolazioni giunte secoli fa. La regione è una delle più piccole d'Italia ed è quasi del tutto montagnosa; le due città più importanti sono Campobasso e Isernia. Come in tutta la penisola, anche il Molise vanta i suoi piatti tradizionali, come i tipici 'cavatelli', una pasta preparata in casa, solo con farina e acqua, e l'enorme frittata di Pasqua (50-60 cm di diametro e 25-30 cm di altezza), fatta con 101 uova e tanti altri ingredienti.

Molise

Lazio

Il Lazio è una regione con vaste aree pianeggianti e collinari, solo la sua parte più interna si estende sugli Appennini. A nord, nella zona di Viterbo, ci sono alcuni caratteristici laghi di origine vulcanica. Nell'antichità, prima dell'espansione romana, qui abitavano gli etruschi, come testimoniano le necropoli di Tuscania, Tarquinia e Cerveteri. Non lontano, lungo la costa, si trova il porto di Civitavecchia, uno dei più importanti del mar Tirreno. Nel cuore della regione c'è Roma, capoluogo e capitale d'Italia. È una città così piena di storia e di arte che, girando per il centro, ogni angolo parla del passato. I suoi monumenti sono conosciuti in tutto il mondo: il Colosseo, piazza di Spagna, fontana di Trevi, piazza Navona sono solo alcuni esempi fra i più noti. A Roma sono stati girati numerosissimi film, italiani e stranieri, non solo per lo splendido scenario che la città offre, ma anche perché qui ci sono i famosi studi cinematografici di Cinecittà. La cucina romana è molto conosciuta nel mondo: nei menu dei ristoranti all'estero, infatti, non è raro trovare la pasta alla carbonara, le piccantissime penne all'arrabbiata e gli spaghetti aglio e olio. Quasi al confine con la Campania, tra il monte Circeo e il golfo di Gaeta, la costa è ricca di belle spiagge. Fanno parte del Lazio anche le Isole Ponziane, luoghi di villeggiatura ideali per chi ama la barca a vela o le vacanze lontano dalla confusione.

Dal XV secolo al Risorgimento

Il Rinascimento

Nel XV secolo inizia un nuovo periodo, chiamato Rinascimento, quasi a significare la nascita di una nuova civiltà. Scrittori e artisti sono spesso ospitati nelle corti dei signori e dei principi per realizzare opere di pittura, scultura, scrittura e musica. Tra questi c'è Leonardo da Vinci, un uomo veramente eccezionale perché, oltre a essere un artista, si occupa di matematica, astronomia, ingegneria e anatomia. Ancora oggi possiamo ammirare alcuni suoi disegni e progetti, che illustrano le sue invenzioni più famose come i modelli dei primi aeroplani e il paracadute.
Gli artisti di questo periodo riscoprono la bellezza attraverso lo studio della natura e dell'uomo. Creano capolavori in molte città d'Italia, specialmente a Roma e a Firenze. Michelangelo, famoso scultore, pittore e architetto affresca la Cappella Sistina in Vaticano, dove lavora anche Raffaello che dipinge le stanze papali. A Firenze Donatello scolpisce la statua del *David* e Brunelleschi progetta la cupola di Santa Maria del Fiore. Questo periodo è caratterizzato, oltre che dalla rinascita delle arti, anche dallo sviluppo delle scienze e dalle scoperte geografiche.

Una macchina volante di Leonardo da Vinci

L'Età moderna

Il 1492 segna, convenzionalmente, il passaggio dal Medioevo all'Età moderna, a seguito della scoperta dell'America da parte di Cristoforo Colombo. Altri navigatori di origine italiana compiono esplorazioni geografiche importanti: Amerigo Vespucci capisce che le terre scoperte da Colombo non sono una parte dell'Asia, ma una

La rotta per le Indie e Cristoforo Colombo

terra nuova, che prenderà il nome di 'America' proprio da lui. Antonio Pigafetta, che segue la spedizione del portoghese Ferdinando Magellano, è il primo a raccontare l'esperienza della circumnavigazione del mondo. Con la scoperta del continente americano e la nuova rotta per le Indie, il centro dell'attività mercantile si sposta dal Mediterraneo all'Atlantico. L'Italia è così esclusa dalle nuove vie commerciali e questo ha pesanti effetti su tutta la vita economica e sociale. In particolare, le Repubbliche marinare di Genova e Venezia, che si muovono solo nella zona mediterranea, perdono la loro importanza commerciale. La divisione dell'Italia in piccoli Stati, spesso in lotta fra loro, facilita le invasioni francesi e spagnole nel XVI secolo.

Controriforma e Barocco

In seguito alla Riforma protestante di Martin Lutero in Germania, la Chiesa cattolica reagisce duramente con la Controriforma, per riaffermare i propri princìpi teologici.
Di conseguenza la produzione artistica, scientifica e letteraria è sottoposta al controllo ecclesiastico. Un esempio è quello di Galileo Galilei, il quale afferma, contrariamente a quanto dice la Bibbia, che la Terra gira intorno al Sole: per questo la Chiesa lo perseguita a lungo e, nel 1633, lo processa. Questa mancanza di libertà degli uomini di cultura porta alla nascita del Barocco, una corrente artistica che vuole meravigliare attraverso le forme, poiché ci sono troppe limitazioni nei contenuti. Le chiese, i palazzi e le sculture si riempiono di ricche decorazioni e motivi ornamentali, spesso dorati. I più grandi capolavori del Barocco italiano si trovano a Roma: sono le opere degli architetti e scultori Francesco Borromini e Gian Lorenzo Bernini. Quest'ultimo realizza il colonnato di piazza San Pietro e il baldacchino all'interno della stessa basilica.

Un particolare del cannocchiale di Galileo Galilei

Piazza San Pietro a Roma

L'Illuminismo

L'Illuminismo, corrente filosofica del XVIII secolo, esalta le capacità della ragione che dà la luce necessaria per raggiungere la verità e suggerire riforme politiche e sociali. Nato in Inghilterra, l'Illuminismo si sviluppa in Francia e da lì arriva in Italia, dove si diffonde soprattutto a Milano grazie a Cesare Beccaria, autore del libro *Dei delitti e delle pene*, e alla rivista 'Il caffè' dei fratelli Verri.
Scopo degli intellettuali deve essere aiutare il popolo a conoscere e a cambiare, tramite la ragione, la situazione politica e sociale. Questo nuovo modo di pensare combatte l'assolutismo delle grandi famiglie reali europee che sfruttano le popolazioni facendo pagare molte tasse senza riconoscere alcun diritto. Proprio grazie all'Illuminismo, ci sarà la Rivoluzione francese che cambierà la storia d'Europa.

Dei delitti e delle pene, di Cesare Beccaria

Napoleone in Italia

La villa di Napoleone all'isola d'Elba

Nel 1796 la nuova Repubblica francese manda il generale Napoleone Bonaparte in Italia per combattere gli austriaci e i piemontesi, suoi nemici. Gli italiani vedono in Napoleone un liberatore e si entusiasmano per gli ideali rivoluzionari francesi.

Ma dopo il trattato di Campoformio del 1797, con cui il generale cede agli austriaci il Veneto in cambio della Lombardia, il mito del liberatore cade. Napoleone diventa sempre più potente e, tornato in Francia, con l'appoggio dell'esercito assume i pieni poteri, facendosi infine incoronare imperatore. I suoi successi militari spaventano il resto dell'Europa, che si allea contro di lui. Dopo la sconfitta a Lipsia, Napoleone deve andare in esilio all'isola d'Elba, in Toscana, da dove, però, fugge per tornare in Francia e riprendere il potere. La sconfitta definitiva è a Waterloo, nel 1815: Napoleone deve quindi partire per il suo secondo e ultimo esilio, questa volta sull'isola di Sant'Elena, dove muore nel 1821.

Il poeta Ugo Foscolo, 'voce' del patriottismo italiano dopo Campoformio

La Restaurazione

Scomparso Napoleone dalla scena politica, a Vienna si svolge un congresso per riordinare politicamente e geograficamente l'Europa. L'idea è di ritornare alla situazione precedente al periodo napoleonico. Il termine 'Restaurazione' indica l'intenzione di ridare autorità al regime assolutistico sconvolto dalla Rivoluzione francese. I princìpi base del congresso sono la legittimità e l'equilibrio: sul trono devono tornare i sovrani legittimi e nessuno Stato deve perdere territori. In realtà in Italia questo non succede, perché la Repubblica di Venezia non torna indipendente ma continua a rimanere territorio austriaco. Il resto della penisola è, invece, così suddiviso:

- Regno di Sardegna (Vittorio Emanuele I di Savoia);
- Lombardo-Veneto (Austria);
- Ducato di Parma (Maria Luisa d'Asburgo);

- Ducato di Modena (Asburgo-Este);
- Granducato di Toscana (Asburgo-Lorena);
- Stato pontificio (papa);
- Regno delle due Sicilie (Ferdinando Borbone).

Palazzo Madama a Torino, che fu anche residenza dei Savoia

L'Italia sotto la Restaurazione

Il Romanticismo

In reazione all'Illuminismo, nasce nell'Europa settentrionale un movimento culturale che rivaluta la forza del sentimento. Questa corrente, chiamata 'Romanticismo', interessa tutte le espressioni artistiche e alimenta le idee di libertà, giustizia e amore verso la patria. In Italia un gruppo di intellettuali dà vita a 'Il Conciliatore', un giornale che vuole diffondere la cultura anche tra il popolo. Il giornale sostiene la necessità di riforme politiche, economiche e sociali, per questo gli austriaci lo considerano un pericolo e ne vietano la pubblicazione. I giovani, però, proseguono a manifestare i loro ideali, aiutati anche dagli artisti dell'epoca. Uno di questi

Giuseppe Verdi

è Giuseppe Verdi, grande musicista, che con la sua opera *Nabucco* accende negli italiani un nuovo amore per la patria. Nello stesso periodo lo scrittore Alessandro Manzoni scrive romanzi e tragedie che mostrano l'oppressione in cui si trovano gli italiani sotto il dominio austriaco.

Una rappresentazione moderna del *Nabucco*

Il Risorgimento

Grazie all'influenza delle idee illuministe e al Romanticismo, in Italia gli intellettuali sognano una nazione unita e libera dalle dominazioni straniere: è il periodo del Risorgimento. Nascono le società segrete, tra cui la più diffusa è la Carboneria, così chiamata perché i suoi membri usano il linguaggio segreto dei venditori di carbone per sfuggire alle ricerche della polizia austriaca. Nel 1820 ci sono i primi movimenti di rivolta in Piemonte e in Lombardia, ma falliscono. Anche il tentativo di ribellione del 1830 in Emilia finisce male, perché l'Italia è sotto il controllo della Santa Alleanza, un trattato in cui le potenze europee si impegnano a intervenire in caso di rivoluzione.

Un altro motivo di questi fallimenti, come afferma l'intellettuale e patriota Giuseppe Mazzini, è l'eccessiva segretezza della Carboneria: è necessario convincere l'intera popolazione a ribellarsi, solo così si può vincere. Una delle testimonianze più importanti di questo periodo storico è il diario di Silvio Pellico, *Le mie prigioni*, dove il rivoluzionario racconta la sua esperienza di combattente e prigioniero.

La bandiera della Giovane Italia di Giuseppe Mazzini

UNIONE FORZA E LIBERTA !!

Il Vittoriano, a Roma, celebra Vittorio Emanuele II padre della patria

L'ITALIA FISICA